Danielle Dumais

Éditeur : François Doucet
Révision linguistique : Nicolas Whiting
Correction d'épreuves : Nancy Coulombe, Katherine Lacombe
Conception de la couverture : Mathieu C. Dandurand
Photo de la couverture : © Thinkstock
Mise en pages : Mathieu C. Dandurand
ISBN papier 978-2-89733-150-4
ISBN PDF numérique 978-2-89733-151-1
ISBN ePub 978-2-89733-152-8
Première impression : 2013
Dépôt légal : 2013
Bibliothèque et Archives nationales du Québec
Bibliothèque Nationale du Canada

Éditions AdA Inc.
1385, boul. Lionel-Boulet
Varennes, Québec, Canada, J3X 1P7
Téléphone : 450-929-0296
Télécopieur : 450-929-0220
www.ada-inc.com
info@ada-inc.com

Diffusion

Canada :	Éditions AdA Inc.
France :	D.G. Diffusion
	Z.I. des Bogues
	31750 Escalquens — France
	Téléphone : 05.61.00.09.99
Suisse :	Transat — 23.42.77.40
Belgique :	D.G. Diffusion — 05.61.00.09.99

Imprimé au Canada

Participation de la SODEC.
Nous reconnaissons l'aide financière du gouvernement du Canada par l'entremise du Fonds du Livre du Canada (FLC) pour nos activités d'édition.
Gouvernement du Québec — Programme de crédit d'impôt pour l'édition de livres — Gestion SODEC.

Catalogage avant publication de Bibliothèque et Archives nationales du Québec et Bibliothèque et Archives Canada

Dumais, Danielle, 1952-

Sortilèges, salsa et compagnie
Sommaire : t. 1. L'événement -- t. 2. Euphorie.
Pour les jeunes de 9 ans et plus.
ISBN 978-2-89733-147-4 (v. 1)
ISBN 978-2-89733-150-4 (v. 2)

I. Titre. II. Titre : L'événement. III. Titre : Euphorie.

PS8607.U441S67 2013 jC843'.6 C2013-940778-2
PS9607.U441S67 2013

Mise en garde

Bien que l'auteure raffole des jalapeños et des chilis de formes et de couleurs diverses qu'elle cultive dans son propre jardin, ce sont des fruits à manipuler avec soin. En effet, à première vue, ces chilis lustrés d'un vert ou d'un rouge intense semblent inoffensifs ; on dirait presque de jolies décorations à mettre dans un sapin de Noël. Ces piments forts contiennent pourtant un puissant ingrédient irritant, la capsaïcine. Rien à voir avec les gros poivrons doux rouges, jaunes ou verts super croquants que nous dégustons dans les salades.

Si vous croquez un piment, surtout un qui est particulièrement fort, il vous entraînera en moins d'une seconde en enfer. Dès lors, vous passerez un mauvais quart d'heure si vous n'avez pas pris quelques précautions élémentaires. Vous aurez beau sautiller, transpirer, crier et pleurer, la brûlure sera là ! À moins… de connaître la recette pour apaiser ce feu infernal.

Sans ce truc, vous conservez dans votre mémoire un souvenir impérissable et brûlant de ce premier essai concluant : un piment, c'est chaud, c'est chaud, c'est chaud.

Qui ne connaît pas le fameux poivre de Cayenne que les policiers utilisent en bonbonne pour disperser la foule ? Les jalapeños sont de la même famille que la Cayenne et sont donc des aliments à manipuler avec soin. Nos deux héroïnes sont très habituées à en manger depuis qu'elles sont toutes jeunes et sont donc à l'aise d'en manger, même si elles trichent avec leurs copines, histoire de mettre du piquant. Vous verrez au cours de votre lecture que c'est un ingrédient aux propriétés très spéciales. Je ne vous en dis pas plus pour l'instant.

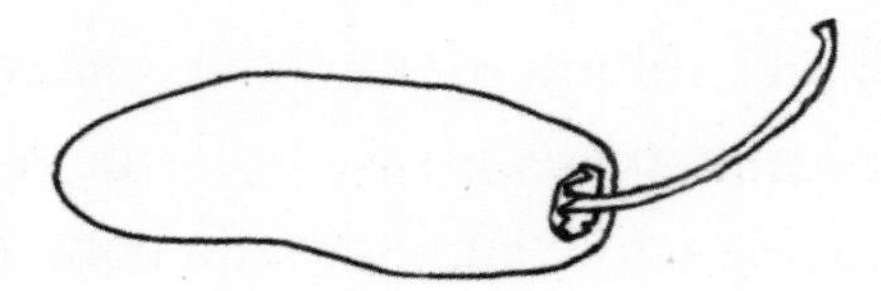

Voici les précautions à prendre si jamais vous avez à manipuler des piments pour la préparation de votre salsa préférée, d'une bonne chaudrée de chili bien piquante ou encore d'une fournée de merveilleux jalapeños panés et farcis au fromage cheddar, une vraie gourmandise.

- Porter des gants de caoutchouc lors de leur manipulation, et surtout, éviter de se toucher le visage et les yeux.

- Pour soulager la sensation de brûlure dans la bouche, boire du lait entier ou faible en gras, ou alors manger du yogourt, du pain beurré, de la crème ou encore du fromage. Ce sont de bons neutralisants. Notre premier réflexe lors de cette vive sensation de brûlure dans la bouche est souvent d'avaler de l'eau ; or, il s'avère que cette mesure est inefficace. La capsaïcine n'est pas soluble dans l'eau, mais plutôt dans les matières grasses comme le lait, le fromage, ou tout autre produit contenant un corps gras.

- Pour soulager une sensation de brûlure causée par le contact de cet aliment avec la peau, il suffit de badigeonner la surface affectée avec de l'huile avant de se laver.

- En cas de contact avec les yeux, rincer plusieurs fois avec de l'eau.

*

Mieux vaut être prévenu, et surtout, n'oubliez pas que les chilis sont des condiments à utiliser avec modération et à apprivoiser. Le piment le plus fort est le Bhut Jolokia, et il ne faut pas jouer avec le « feu » de ce piment. Il peut réellement vous faire souffrir, et vous vous lamenterez durant une bonne demi-heure après avoir enfoncé vos dents dans ce petit piment rouge. Il atteint un taux de 1 000 000 d'unités sur l'échelle de Scoville, une échelle permettant de mesurer la force des piments, tandis que le jalapeño atteint un taux qui peut se situer entre 2 000 et 5 000 unités. Ce dernier est donc considéré comme étant assez doux. Le fameux poivre de Cayenne, utilisé pour l'autodéfense, peut atteindre un taux qui se situe entre 2 000 000 à 5 300 000 unités.

Soyez conscient que même si les piments ont l'air inoffensifs, ils peuvent tuer. Bon, assez parlé de ces piments, passons à l'action, à l'histoire de Sortilèges, salsa et compagnie.

Voici les principaux personnages de la rue des Ormes de Saint-Parlinpin.

Je m'appelle Saléna Bellerive. D'après ma mère, il faudrait que je sois la plus raisonnable de la famille parce que je suis l'aînée. Je suis droitière, et j'aime faire semblant que je suis une animatrice populaire en parlant dans un micro devant le miroir de ma chambre. Trop cooool!

Voici ma sœur, Samara, ma jumelle et cadette de 12 minutes et 28 secondes. Elle est gauchère, et elle aime dessiner, même si elle n'y excelle pas à 100%. Ma mère dit souvent que nous sommes complémentaires, comme le yin et le yang.

Mon voisin d'à côté, Simon Marceau le débile, notre ennemi juré. Il aime bien nous jouer des tours, et nous aimons bien riposter.

Le beau Maxime Deschamps, avec sa coupe de cheveux à la Bieber. Je le trouve très craquant. Il est timide, ou alors très discret. Malheureusement pour lui, il se tient trop souvent avec son voisin d'à côté, le débile de Simon.

Marie-Pier est de taille petite pour son âge. Je la dépasse déjà d'une tête. Elle a un visage tout rond, de grands yeux bruns, le teint basané, les cheveux noirs et sa fameuse et éternelle coupe de Dora l'exploratrice.

Chapitre 1

LA NORMALE

Micro en main, je sautille sur mon lit pendant que ma sœur est déjà en bas en train de déjeuner.

– Bonjour, je m'appelle Saléna Bellerive, votre animatrice préférée la plus *coool* de Saint-Parlinpin. Chers spectateurs et chères spectatrices, il est présentement 7 h 25 du matin. Je reprends l'antenne après de nombreux jours d'absence subis en raison de l'Événement, celui tant annoncé, cet horrible orage magnétique qui a bouleversé nos vies, nos familles et notre voisinage (dis-je en prenant une voix pathétique). Mais comme on dit : « toute bonne chose ou… mauvaise, je devrais plutôt dire, a une fin ».

» Alors, malgré que l'électricité soit revenue, comme vous l'avez peut-être noté, chers spectateurs et chères spectatrices, tout n'est pas parfaitement revenu à la normale. Je tire cette conclusion d'une observation très méticuleuse et suivie d'une période significative d'un jour des comportements de mes voisins. Je note qu'il y a encore et encore beaucoup de moments d'euphorie chez ces hominiens. Hi hi ! Hum… hum ! bon… petite blague sur mes voisins primates. Désolée, chers spectateurs, je reprends mon sérieux. Je disais donc. Ah oui ! Vous voulez savoir quel genre de comportement ? Eh bien, en voici quelques exemples ! Certains applaudissent en voyant un simple véhicule de vidange déambulant dans la rue ; d'autres restent dans la maison et sont en allégresse en écoutant la radio ou la télévision ou même en écoutant les douces sonorités des pales d'un simple ventilateur en action ; d'autres se sont précipités sur

Internet, Facebook et autres réseaux sociaux pour dire à la face du monde qu'ils sont encore vivants. Crier leur moi, moi, moi ! Hi, hi, hi ! Je sais, j'ai été la première à le faire. Hum ! hum ! Bien sûr, mes chers spectateurs, la plupart des gens s'accordent pour dire qu'un certain temps d'adaptation à la vie normale est nécessaire après cette privation d'électricité et d'électronique avant de réintégrer le quotidien tel que connu avant l'Événement. Pour moi, le simple retour de la nourriture chaude et des fromages qui font quick-quick me propulse au paradis. Hi, hi, hi !

J'aime rire de mes propres blagues. Hum... Ça ne fait pas très professionnel. Puis, je reprends mon expression la plus sérieuse du monde et j'ajoute, en parlant à mon miroir et dans le micro :

– Mais ce qui m'a le plus surpris et horrifié, ce fut le retour des tondeuses. Dès les premières lueurs du soleil de la première journée du retour de l'électricité, l'enfer, eh oui ! L'enfer, que je vous dis, et je pèse bien mes mots. L'enfer est de retour dans notre beau quartier de la rue des Ormes. Toutes les tondeuses de tout acabit ont ronronné en ce premier jour de la vie normale, je dis bien toutes. Elles ont ronronné en même temps à 7 h du matin, comme si un signal de départ de marathon avait été donné. Mon vénérable père n'était pas différent des autres avec sa super tondeuse électrique à lames rotatives avec un large et profond bac accroché en arrière. Je dois cependant vous annoncer une triste nouvelle. Cela faisait quelques jours que mon petit papa d'amour n'avait pas passé un autre type de tondeuse sur son beau visage, et voilà que ce matin, il a fait l'irréparable. Il s'est rasé. Il n'a plus sa super barbe qui lui donnait un look d'enfer à la Ben Affleck, bououou ! Mon papa est redevenu le papa d'avant. Papa Philippe !

» Bon, revenons à notre point majeur. Tout n'est pas revenu à la normale à Saint-Parlinpin. Vous vous en doutiez un peu. Mon père a développé depuis peu une particularité singulière, à savoir le désir d'un gazon parfait à l'avant de la maison. En fait, je dirais de façon concrète et précise qu'il est comme ça depuis l'emménagement de la famille Wolff, nos nouveaux voisins, en face de chez nous. Ce phénomène n'est pas étranger à son nouveau comportement super méticuleux avec sa pelouse rase et son menton bien rasé. J'ai bien l'impression que les longues jambes effilées de la nouvelle voisine l'intéressent au plus haut point, et peut-être aussi son joli minois et la minuscule pierre de lune bleutée incrustée dans sa narine gauche.

» Par ailleurs, ce fut le retour des bonbonnes de gaz propane et des steaks au barbecue. La redécouverte des grillades. Nos hominiens chantent et tiennent désormais une bière bien froide tout en tournant d'énormes morceaux de viande sur la grille. L'homme, le vrai, celui de grognon et de néandertal, est de retour. Demain, ce sera le 25. Bien que ce ne soit pas un lundi, ce sera le premier jour de retour au travail officiel décrété par le maire de Saint-Parlinpin après 12 longs jours de relâche.

» Oh, écoutez ! J'entends une tondeuse à précisément 7 h 38. Si nos caméras pouvaient se rendre à l'avant de notre maison, vous verriez mon père couper encore une fois le gazon tout en lorgnant la porte d'entrée de la maison d'en face. Puis, vous entendriez le cri de ma mère, un gros « QUOI ? » suivi de : « Tu n'es pas encore en train de tondre le gazon en avant, j'espère ! Ça fait trois jours de suite. Ce n'est pas possible. Qu'est-ce que tu trouves à ce gazon ? », et mon père rouspéterait en disant d'une voix faible : « J'avais oublié une petite zone. » Eh oui, chers spectateurs et chères spectatrices, autant madame Wolff met en beau pétard ma mère, autant les jumelles Malika et Farah Wolff nous mettent en rogne. Ce sont des jumelles qui ont le même âge que ma sœur et moi. De plus, elles ressemblent beaucoup toutes les deux à la fillette de la famille Addams, ouain, celle qui s'appelle Mercredi Addams. Brrr ! Elles me donnent des frissons. Bref, mon père surveille la dame prénommée Sybille tandis que nous, nous surveillons ses enfants.

Je sautille une autre fois sur mon lit. Je cherche d'autres nouvelles importantes à révéler quand un cri primal me fait revenir à la réalité.

– Saléna, veux-tu descendre ? hurle ma mère.

– Brrr ! Ça, ça n'a pas changé ! Désolée, chers spectateurs, d'interrompre votre émission préférée. Nous nous reverrons à la même heure et au même poste. Bonne journée !

Je saute en bas de mon lit et je range mon micro dans le tiroir de ma commode, puis je crie :

– OK, m'an ! Je descends !

Chapitre 2

LA PIÈCE DE THÉÂTRE

Récemment, nous avons établi un centre d'observation sur le terrain voisin au nôtre, soit celui des Marceau, qui est situé en biais du terrain des Wolff. Une haie entre notre terrain et celui des Marceau se prolonge et forme un coin étanche entre le terrain des Marceau et l'emprise de la rue. De là, nous pouvons surveiller les Wolff sans qu'ils le sachent en nous couchant au sol et en épiant à travers les troncs des arbustes.

C'est connu. Ce qu'on ne connaît pas nous fait peur. La famille Wolff est trop bizarre pour moi et ma sœur, surtout que les nouvelles jumelles ont formé un club avec nos ex-amies, Charline, Gabrielle et Marie-Pier, sous le nom de club Zohar dès les premiers jours de leur arrivée à Saint-Parlinpin. J'ai fait des recherches dans les livres de notre petite bibliothèque municipale et sur Internet sur ce nom bizarre de Zohar, mais je n'ai rien trouvé de satisfaisant. Par contre, la première syllabe de leurs prénoms forme le mot Malfa, ressemblant étrangement à Malphas, un des démons qui président les Enfers.

– Puis, vois-tu quelque chose ? me demande ma sœur.

– Rien en avant, je lui réponds. On dirait que tout ce passe à l'arrière de la maison.

Une auto passe, ralentit et se gare dans l'entrée.

– Pssttt ! lance Simon. Ma mère vient d'arriver de l'épicerie. Vite, assoyons-nous.

Je me relève de mon poste de garde et je prends le seul livre sur la table. Je fais semblant de lire le tome 6 des 5 derniers dragons, la série préférée de Maxime.

Nous avons installé, le long de la haie haute et frontale, une table de pique-nique, tout près de la brouette antique et décorative supportant quatre gros pots de fleurs en plastique ridiculement laides, la même qui avait servi à transporter Simon après le foudroiement. C'est à partir de cet endroit précisément que nous espionnons les jumelles Wolff et les autres du groupe.

Madame Marceau prend son sac d'épicerie à l'arrière de la voiture et se dirige vers nous.

– Bonjour ! Vous êtes bien tranquilles ! s'exclame Françoise.

– Oui, nous préparons une pièce de théâtre en nous inspirant de cette série, dis-je en soulevant le bouquin dont la couverture montre un paysage montagneux et deux dragons, dont un rouge et un autre blanc, qui survolent un lac d'un bleu tirant sur le turquoise.

Je mens, bien sûr, et je pense que cette excuse est assez crédible pour qu'elle quitte les lieux, qu'elle aille ranger son épicerie et qu'elle fasse de la bonne popote. Mais… elle ne part pas. Elle reste là et me sourit. Oh ! Ouille ! Il faut que je trouve quelque chose pour qu'elle nous foute la paix. Mais quoi ?

– Ah oui ? dit-elle en se rapprochant de nous pour mieux voir ce qu'il y a sur la table. J'ai peine à croire que vous soyez si studieux en plein été. Et quand prévoyez-vous nous faire cette belle représentation ?

Nous avons un paquet de feuilles blanches et des crayons, mais pas une ligne d'écrite. Mon mensonge est évident, il me semble.

– On ne sait pas trop, répond Maxime. Nous avons un peu de difficultés à trouver un thème à notre pièce.

– De quoi parle votre livre ? demande-t-elle.

J'ouvre grand les yeux et je lève très haut les sourcils vers Maxime, puisque je ne l'ai pas lu.

– Ben, répond-il en voyant mes yeux presque exorbités, il parle d'une troupe de jeunes qui est à la recherche des cinq derniers dragons. Ils ont trouvé les quatre premiers et maintenant, ils recherchent le cinquième dragon, celui de l'éther.

– Ah ! Une quête… hum… n'y a-t-il pas autre chose, un thème ?

– J'ai cru comprendre qu'il s'agit de la fascination qu'ont les humains pour l'immortalité, la jeunesse et la beauté.

– Eh bien, c'est un thème assez complexe. Il faudrait trouver quelque chose de plus simple, de plus léger. Ça me fait penser à votre pièce de théâtre de fin d'année avec madame Laviolette, dit-elle en nous regardant, nous les jumelles.

– Oui, dis-je, un peu gênée. La pièce sur la marionnette, vous voulez dire ?

– Oui, votre marionnette Marie-Lou, abandonnée dans une boîte au fond de son placard. La propriétaire la retrouve de nombreuses années plus tard alors qu'elle n'est plus une enfant. Elle s'appelait Élisa, c'est ça ?

– Oui, je réponds.

J'ai bien envie de rouler les yeux et de lui dire qu'elle me dérange, mais je dois sourire et continuer de lui faire croire que tout ça m'intéresse. Surtout que ce ne sont pas des souvenirs super agréables. Madame

Laviolette nous a fait répéter la pièce mille fois. Elle a été hyper intransigeante. Elle voulait vraiment que nous soyons parfaites. À part de quelques erreurs et hésitations, nous avons été presque parfaites.

– Eh bien, cette Élisa est devenue une adulte, une femme. La découverte de cet objet oublié lui fait se remémorer de beaux et de moins beaux souvenirs. Elle raconte les beaux moments passés avec sa marionnette, et elle parle aussi du terrible accident de son père, de son déménagement et de l'oubli total de cette poupée dans une caisse laissée au fond d'un placard depuis son déménagement avec sa mère. J'ai adoré votre pièce, les filles. Un peu trop nostalgique, mais bien.

– Merci, dit Samara.

Un silence plane. Madame Marceau transfère le poids de son énorme paquet d'épicerie sur sa hanche et réfléchit. On dirait bien qu'elle n'est pas du tout pressée de mettre son épicerie au réfrigérateur. J'ai espoir qu'il y a un carton d'un litre de crème glacée à placer bien vite au congélateur, parce qu'en ce moment, il fait très chaud et que ça va se mettre à fondre.

– Puis-je vous suggérer quelque chose ?

– Oui, disons-nous à l'unisson.

– Allez-y avec un thème facile, comme l'amitié.

L'amitié ! Brrr... Elle l'a, le sujet ! Alors que j'espionne mes anciennes amies ! Nous avions été meilleures amies depuis... ouf ! la maternelle, tandis que Maxime et Simon avaient toujours été nos ennemis jurés. Il ne faudrait surtout pas oublier d'inclure leurs trois compères, Hugo, Paulo et Cédric, qui jouent au hockey au milieu de la rue autant en été qu'en hiver et qui aiment nous arroser avec leurs fusils de plage. Fort heureusement, ma sœur et moi adorons riposter, mais depuis quelque temps, un lien étrange nous unit, le lien du jalapeño, du club Salsa.

– Merci, Madame Marceau, répond ma sœur en écrivant sa suggestion sur une feuille en gros caractères gras.

– Je trouve ça vraiment chouette que vous vous intéressiez à l'écriture d'une pièce. J'ai, dans ma jeunesse, espéré devenir une comédienne. Hélas ! Ça n'a pas fonctionné. J'ai à la maison quelques textes de pièces de théâtre. Vous pourriez vous en inspirer !

– Ce serait très apprécié, Madame Marceau, dis-je à mon tour.

– De rien, ma belle fille, je vais faire une recherche dans mes vieux cartons après le repas. Ah, le théâtre, que de beaux souvenirs ! Simon, je vais préparer un bon spaghetti avec de belles grosses boulettes !

– Super, m'an !

Elle s'éloigne toute souriante. Minute, a-t-elle dit belle-fille comme la fille mariée à son fils, ou juste belle fille ? Je rougis. Simon me regarde et pouffe de rire.

– Quoi ?

– On dirait que tu n'es pas habituée de te faire dire que tu es belle.

Ouf ! Ce n'était pas qu'une question de beauté, parce que Simon ne m'intéresse pas. J'espère qu'elle ne pense pas que je la veux comme belle-mère, quoiqu'elle est très jolie avec ses cheveux auburn et ses yeux d'un bleu limpide.

– Maxime, tu aurais pu te la fermer, je grogne.

– Quoi ?

– Ta pièce de théâtre, dis-je en chœur avec ma sœur. Nous voilà pris pour en écrire une en plein été, brrrr ! j'ajoute.

– Ben, j'ai cru que c'était une bonne solution, répond-il, déçu. On est là avec un tas de feuilles blanches ; qu'est-ce que tu voulais que je dise ? Qu'on espionne les voisins ? déclare-t-il d'une voix teintée de tristesse.

Je vois bien à travers ses cheveux, qui lui couvrent une partie des yeux, qu'il retient ses larmes. Il n'est pas un mauvais gars. Au contraire, il est gentil et surtout très croquant. Et puis, il a bien raison. Qu'est-ce qu'il pouvait trouver d'autre comme excuse ?

– D'accord ! Je suis désolée. Tu as raison, c'est une bonne excuse. J'y pense ! On ne pourrait faire que de petits sketchs sur l'amitié et l'hypocrisie. Moi, je pourrais être l'animatrice de ce spectacle avec mon micro et ma super chaîne stéréo karaoké.

Ils grimacent tous.

– OK, j'ajoute. On retourne à notre espionnage.

Chapitre 3

LE CENTRE D'OBSERVATION

– Nous attendons depuis un bon trois quarts d'heure et il n'y a rien qui se passe chez les voisins, se plaint Maxime en se relevant. On devrait passer à autre chose.

» Je n'ai rien dit jusqu'à maintenant, mais moi, je les trouve bien ordinaires, les nouvelles voisines. Elles s'habillent un peu bizarrement, mais… elles ont le droit, non ?

– Ouais, dit Samara en se redressant elle aussi. Tu as peut-être raison. Elles sont devenues copines avec nos anciennes amies. Ce n'est pas particulièrement surprenant. Passons à autre chose et pensons à la pauvre Adeline, la jeune centauresse dans ce château sans fenêtre et sans porte. Elle est mourante, ou du moins malade.

– Comme tu l'as déjà dit, elle se meurt d'un rien, dis-je en m'assoyant à la table de pique-nique pour la taquiner.

Lorsque ma sœur m'a montré pour la première fois la carte sur laquelle elle avait dessiné un château, elle m'a avoué que la princesse du château se mourait d'un rien, et non d'amour, comme ce qui aurait été plus habituel. Je l'ai corrigée en lui disant que mourir d'un rien, ça ne se disait pas. Ce commentaire lui avait grandement déplu.

– Oh! Que tu peux être bête, se fâche ma jumelle. J'ai fait une petite erreur et tu passes ton temps à me la remettre sous le nez. Est-ce que tu pourrais cesser de me ridiculiser pour une fois et surtout devant nos copains?

– Entièrement d'accord, dis-je en prenant au bond son insulte. Les centaures sont de drôles de bêtes, dis-je en ricanant de plus belle.

– Pourquoi tu me dis ça ?

– Tu viens de me traiter de bête, alors ce sont plutôt eux qui sont des bêtes.

Ses yeux me lancent des éclairs. Je sens qu'elle va se jeter sur moi et me tirer les cheveux. Les gars, qui ne comprennent pas notre discussion, ont les yeux qui pétillent en nous voyant nous engueuler.

– On veut une bataille, on veut une bataille ! martèle Simon en tapant ses deux mains sur la table.

Sous leurs regards amusés, je me tranquillise. Nous n'allons pas nous donner en spectacle, surtout pas devant des gars.

– D'accord ! D'accord ! Je m'excuse, Samara. Tu as parfaitement raison. Notre but premier est de trouver un moyen de retourner chez les centaures et non de surveiller ces jumelles d'en face, même si je trouve qu'elles ont un air bizarre, je veux dire vraiment bizarre.

– Tout à fait, prononce Simon d'une voix forte comme le font les journalistes à la télé. Il faut se concentrer sur notre seule et unique mission. Restaurer le royaume des centaures.

– Wow ! Simon, siffle Maxime. Restaurer ?

– Ben quoi ? Ce n'est pas le bon mot ?

– Si, si, répond Maxime. Je suis seulement impressionné par ton vocabulaire. Je trouve que « La restauration du royaume des centaures » ferait un excellent titre dans un journal.

Nous rions et Simon se frustre. Il fronce les sourcils et ajoute d'un ton bourru :

– Oui, c'est ce que j'ai dit. Il faut que le royaume des centaures redevienne comme il était auparavant. Montre-moi ta carte, Samara.

Samara continue de rigoler et ouvre son sac à dos. Elle en sort le tube et dépose quelques crayons sur la table. Puis, elle retire du tube une feuille de grand format. Elle se lève comme le ferait un général de l'armée en avant de ses troupes. Elle déroule la carte et annonce d'une voix solennelle :

– Je crois que j'ai dessiné l'essentiel et que cette carte est exactement comme l'ancienne.

Nous nous penchons pour examiner de plus près la carte. Eh oui ! Elle a raison. Elle est identique à la première, avec les dunes de sable et le château que tout le monde trouve moche.

Nous rigolons. En nous voyant si joyeux, elle ajoute d'un ton incertain :

– Je pense l'avoir redessinée exactement comme la dernière fois. C'est ce que j'ai fait, non ?

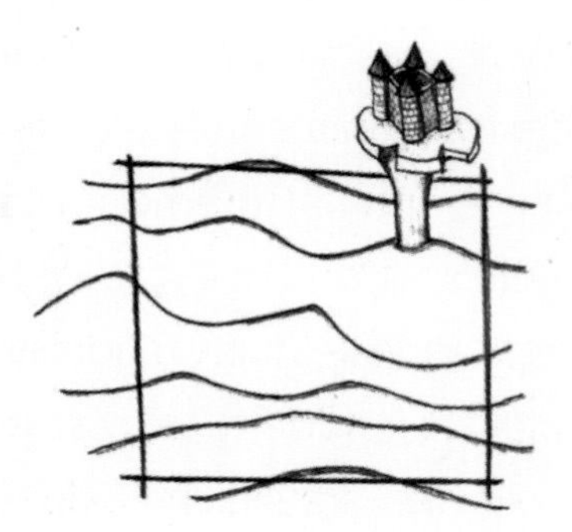

– Bien sûr ! C'est à peu près comme dans mes souvenirs, commente Maxime.

– Je confirme, soeurette. Le château est pareil, aussi moche que l'ancien. Pas de fenêtre ni de porte.

Ma sœur esquisse une grimace triste. Nous rions de bon cœur. Elle retrouve son sourire lorsqu'une petite voix derrière nous nous fait tous sursauter et cesser notre rire.

– C'est là que vous vous tenez !

Personne ne l'avait vue ni entendue s'approcher de nous. Nous étions trop concentrés sur la carte. Je relève la tête et je reconnais la Vacmagick, l'indéniable Marie-Pier, avec sa coupe de cheveux à la Dora l'exploratrice. On la surnomme Vacmagick en l'honneur du nom d'un joli aspirateur parce qu'elle gobe tous les mots des enseignants comme un aspirateur avalant la saleté et qu'elle est la chouchoute de la classe. Gabrielle, une grande brune aux cheveux plats, Charline, une maigrichonne aux cheveux semi-longs châtains tirant sur le roux, et elle nous dévisagent méchamment. Rapidement, Samara s'empresse de rouler la carte, de la glisser dans le tube et de remettre le tout dans son sac à dos.

– Qu'est-ce que vous êtes venues faire ici ? je leur demande.

– C'est plutôt à nous de vous le demander ! ricane Marie-Pier.

– Premièrement, je suis chez moi. Deuxièmement, je peux inviter qui je veux sur mon terrain. Et troisièmement, nous lisons, répond Simon.

– Vous n'avez qu'un livre ! s'exclame Gabrielle en lui faisant une grimace.

– On essaie d'écrire une pièce. Un seul livre est suffisant, explique Maxime.

Oh ! là ! là ! Maxime ! Qu'est-ce que tu dis ? Tu n'as donc pas compris que c'était une explication pour les adultes, et pas pour elles ? Nous voilà dans le pétrin, dans un triple pétrin. Elles vont répandre cette nouvelle à la vitesse grand V dans le quartier comme de vraies petites vipères. Jus de betterave ! Nous n'aurons pas le choix de préparer une pièce et de nous faire ridiculiser par nos propres amies, je veux dire ex-amies. Ah ! Je les connais bien. Elles ne vont pas nous manquer et vont nous faire payer notre acte de déloyauté envers elles. J'imagine qu'elles ont compris que nous avons formé un lien privilégié avec Simon et Maxime.

– Eh bien, attendez que j'annonce ça à Malika et Farah, dit Marie-Pier en affichant un sourire moqueur.

Voilà ce que je craignais, la propagation de cette rumeur chez les Wolff et ensuite dans tout le quartier.

– Qu'est-ce qu'elles ont à voir avec ça ? je lui demande.

– Ça adonne bien, dit Marie-Pier. Ils pendent la crémaillère à la fin du mois d'août. D'après les jumelles, les Wolff vont inviter toute la rue. Nous sommes justement en train de répéter une petite pièce musicale pour accompagner Malika et Farah, qui jouent respectivement du violoncelle et du piano. Alors, soyez prêts à présenter votre pièce !

– Mais voyons, c'est impossible, je réplique. Nous n'avons même pas écrit une ligne et je ne sais jouer d'aucun instrument de musique.

– Ben, vous aurez autre chose à faire que de nous espionner, rigole Gabrielle. J'ai failli oublier de vous dire qu'on vous voit à partir de ma chambre.

Brrrr ! Gabrielle, quand elle veut, elle est casse-pieds, surtout lorsqu'elle prend ce petit air narquois. Je regarde par-dessus la haie. Eh oui, je vois la fenêtre de sa chambre donnant sur la rue.

Toutes les trois partent à rire et s'en vont. Je suis furieuse et je fais de gros yeux à Maxime. Je lui crie :

– Pourquoi tu as dit ça ?

– Quoi donc ?

– La pièce de théâtre !

– Ben, je croyais que c'était la chose à dire.

Je suis doublement fâchée contre lui. Justement, il ne fallait pas répondre à ma question. Il aurait dû dire : « Je m'excuse ». Au lieu de ça, il me répond bêtement : « Ben, je croyais que c'était la chose à dire ». Maxime ! Tu es mignon, mais incroyablement naïf. Mais bon, j'en veux plus à la Vacmagick.

– Aaaaah ! La vilaine Marie-Pier. Elle va tout faire pour nous embarrasser. Et les deux autres, ainsi que les Malphas, elles vont bien rire de nous. On ne dispose que d'un mois pour préparer cette pièce, plus les costumes et les accessoires. C'est scientifiquement impossible !

– Moi, je m'en fiche, qu'elles rient de nous, dit ma sœur. Nous avons une mission beaucoup plus importante que la présentation d'une pièce. Il faut que nous réparions le mal que nous avons fait aux centaures.

– Mais comment savoir s'ils ne sont pas tous morts lors du passage au barbecue de notre père ? je me demande à haute voix.

Lors de notre dernière excursion au pays du Hautcentaure, la chatte de Maxime, du nom de Clio, avait déchiré avec ses griffes une partie de la carte accessible à l'intérieur du pavillon de la famille Deschamps alors que nous avions disparu à l'intérieur du paysage. Il nous a fallu vite revenir sur place, dans notre monde actuel, pour constater les dégâts qu'elle avait faits. Puis, la carte abîmée en main, ma sœur et moi sommes revenues chez nous. Pendant un court instant, nous avons abandonné la carte sur la table de pique-nique pour nous désaltérer à l'intérieur de la maison. À notre retour, nous avons alors constaté que notre père s'en est emparé pour allumer le barbecue. Elle a disparu en fumée.

– Puisque j'ai redessiné la carte comme l'autre était avant qu'elle ne brûle, nous devrions retrouver le monde comme avant.

– Moi, je trouve que ça a du sens, dit Simon. Alors, quand passe-t-on à l'action ?

– Demain matin, après nos cours de natation, je réponds, vers 9 h 30 au gazebo de Maxime.

– Non, ce n'est pas un bon endroit. Mes parents se tiennent assez souvent là, ces derniers jours.

– Au pic du Corbeau, suggère Simon.

– Bonne idée ! approuve Samara. Surtout que nos amies ne sont pas très friandes de cet endroit. Le temps de nous rendre, il sera 10 h.

– Parfait, alors ! On se rencontre demain à 10 h, avec la carte et la pomme d'or, dit Simon.

– Et qu'est-ce qu'on fait pour la pièce de théâtre ? demande ma sœur.

– On trouvera bien des petits sketchs sur Internet et on les modifiera pour faire comme si c'était nous qui les avions écrits, j'indique comme solution.

– Ah oui, dit Simon, je me souviens du site que madame Laviolette nous avait recommandé.

– Ah oui ! Vous les gars, si je me souviens bien, vous aviez choisi la pièce : *Plus rien ne fonctionne*, dis-je.

– Bizarrement, blague Maxime, on pourrait dire que c'était prémonitoire.

– Tu peux le dire, ricane Samara, 10 jours sans électricité.

– J'ai encore la pièce, dit Simon. Toi, Saléna, tu pourrais faire ce que tu prévoyais, jouer à l'animatrice d'une émission de télévision avec ton micro et annoncer une catastrophe. Chacun de nous décrira l'impact vécu.

– C'est sûr, ma sœur sera ravie, elle se pratique quasiment tous les soirs et tous les matins devant le miroir de sa commode, badine ma sœur.

– Brrrr… je grogne. On verra, miss carte moche. En attendant, il faudra trouver une bonne histoire. De quoi pourrait-on bien parler, hein ? Autre chose que l'orage magnétique et notre foudroiement. Peut-être d'une catastrophe. Qu'est-ce que tu en dis, la jumelle ?

Ma sœur me fait la moue.

– Simon, crie sa mère. Le spaghetti est prêt.

– Tiens, la catastrophe sur deux pattes vient de parler ! je marmonne en rigolant. Le retour du spaghetti à boulettes à Saint-Parlinpin. Le super monstre aux boulettes de viande prépare son attaque contre l'abominable pizza toute garnie, ou peut-être bien contre les ailes de poulet super piquantes et les Doritos ! Aïe, j'ai peur ! Heureusement que monsieur Poutine est dans les parages pour les battre à plate couture grâce à sa sauce super gluante et à son fromage hyper élastique.

Nous rions et chacun se lève pour rentrer chez soi.

– N'oublie pas d'apporter des jalapeños, crie Simon. Beaucoup de jalapeños.

Simon est quasiment devenu accro aux piments depuis que nous avons formé notre club Salsa. À ma grande surprise, dès son premier essai, il a engouffré un piment en entier sans trop sourciller.

– D'accord ! dit Samara en souriant avant de passer par le raccourci, un trou dans la haie qui sépare notre terrain de celui de Simon. Je vais vous en apporter.

Chapitre 4

UNE DOUCE SOIRÉE

– Allez, les filles ! Couchez-vous ! Demain, natation ! hurle ma mère.

– M'an, il est juste 8 h 30 et il ne fait même pas noir dehors, se lamente Samara, qui dessine ses éternels chats, installée sur la table de pique-nique pendant que moi, je lis les Chroniques de Narnia.

– Oui, mais demain, il faut se lever à 6 h 30, pour avoir le temps de prendre une douche, de déjeuner, de vous reconduire. Allez, les filles, rentrez ! Je vous rappelle que le cours est à 8 h et qu'il faut être là à 7 h 45 au plus tard.

Nous rentrons en ronchonnant. Demain, ce sera notre premier cours de natation après une longue absence. Je fais comme si je détestais mes cours de natation, mais j'ai très hâte de retrouver notre prof, un super jeune homme très gentil aux yeux marrons, début vingtaine, super beau avec ses cheveux bruns recouvrant légèrement la nuque. Il a aussi un super prénom : Daris. Il est convaincu que je devrais atteindre le niveau 8 junior d'ici la fin de l'été.

Au dernier cours, il m'a dit que si je travaillais bien, peut-être bien que je pourrais même atteindre le niveau 9. Il en va de même pour ma sœur. En natation, nous performons de façon identique et, comme dit notre professeur, cette discipline exige une force égale, que ce soit pour la main droite ou pour la main gauche. Il a remarqué dès notre premier cours que Samara était gauchère et que moi, j'étais droitière. Il a même dit à nos parents qu'on serait très bonnes en nage synchro. Mais nous deux, nous n'aimons pas assez la natation pour passer des heures et des heures à nous entraîner. *No way!*

– Des jumelles, c'est l'idéal, avait-il dit.

Ma mère avait trépigné de joie. Elle nous voyait déjà sur la première marche du podium des Olympiques en 2020. *Niet*, pas question. Daris est aussi beau que Flynn Rider, oui, le voleur malicieux de Raiponce, cet homme imbu de lui-même et qui se croit charmant, intelligent et attirant. Je sais, c'est ridicule que je compare le beau Daris à un personnage d'animation 3D. Jus de betterave ! C'est bien moi ! Rêver d'être une belle princesse ! Bien que… je suis probablement… assez mignonne !

Mais ce qui fait le plus mon bonheur, c'est que Marie-Pier déteste la natation et que Gabrielle et Charline, qui ne sont pas du même niveau que nous, font partie d'un autre groupe.

– Bonne nuit, nous disons sur un ton lancinant.

Alors que nous sommes toutes les deux étendues dans notre lit, j'essaie de dormir. Il fait déjà un peu plus noir, mais je ne réussis pas à m'endormir.

– Dors-tu, Sam ? je chuchote.

Elle ne répond pas. Elle semble dormir. Je suis seule pour réfléchir à ma honte, celle d'avoir abandonné mes amies pour Simon, que je considérais, il n'y a pas si longtemps, comme mon ennemi numéro un, et pour Maxime, pour qui j'ai un petit faible. Je n'ose même pas en discuter avec ma jumelle tellement je me sens dégueulasse. Et pourtant, elle ne semble pas s'en faire. Elle dort sur ses deux oreilles. Brrrrr ! Je devrais lui en parler, car elle est bien la seule à me comprendre et à pouvoir partager ce sentiment déshonorant.

Par la fenêtre ouverte de notre chambre, j'entends la porte-moustiquaire d'en arrière s'ouvrir et se fermer bruyamment. Le crissement d'une chaise de jardin glissant sur un pavé retentit dans l'air calme en cette fin de soirée. Une coupe est déposée sur la table de pique-nique en fibre de verre. Je reconnais le bruit cristallin du verre en contact avec la surface dure du dessus de la table.

Puis, c'est le décapsulage d'une bouteille de vin, le glouglou du liquide s'écoulant dans la coupe et finalement, le soupir de satisfaction de ma mère. Elle aime bien prendre une coupe ou deux de vin en soirée, en toute tranquillité, surtout lorsque la température est aussi clémente. Mon père la rejoint. Je l'entends décapsuler une bouteille de bière, reconnaissable par le pssst qui s'en échappe.

– Belle soirée, dit-il. Pas un seul nuage et la lune est au rendez-vous.

– Oui, une soirée parfaite pour relaxer.

– Demain, tout revient à la normale, je retourne travailler. C'était nos vacances, de bien drôle de vacances, dit mon père avec une pointe de déception. Des vacances manquées. Eh oui, demain, tout Saint-Parlinpin retourne au travail !

Je l'entends boire sa bière au goulot. Ma mère grimace probablement, car elle déteste quand les gens boivent à même le goulot.

– Ouain, soupire ma mère, d'ici quatre semaines, l'école recommence pour les filles, et ce sera mon retour à la manufacture. Ça ne me tente pas trop. Oh que non !

– Tu sais bien ! On ne roule pas sur l'or. Si tu pouvais trouver une gardienne dès que possible, ça serait bien. Comme ça, tu pourrais recommencer dès la semaine prochaine.

– Je sais bien ! On a besoin de cet argent. J'ai parlé à une dame hier. Elle m'a semblé bien.

» Oh ! Philippe ! De la visite, chuchote-t-elle.

» Allô ! Quel bon vent vous amène ? s'enthousiasme-t-elle un peu trop à mon avis.

J'entends des baisers secs sur la joue et d'autres chaises qui crissent sur le pavé uni. Je calcule par les différents crissements de chaise que quatre personnes ont rejoint mes parents.

– Assoyez-vous ! Ah ! C'est gentil ! Merci pour le vin. Ce n'était pas nécessaire, j'ai ma petite provision, hi ! hi ! hi ! dit ma mère d'une petite voix suraigüe reconnaissable lorsqu'elle n'est pas à l'aise. Nous avons engrangé pas mal de choses pour le fameux Événement, trop de choses, ajoute-t-elle en rigolant.

J'imagine qu'elle est mal à l'aise parce que ses cheveux sont décoiffés ou que son maquillage n'est pas impeccable en cette fin de journée. Plusieurs voix parlent en même temps, puis je reconnais la voix de madame Marceau.

– Je suis vraiment heureuse que les jumelles soient amies avec mon garçon. Depuis qu'il est ami avec Samara et Saléna, son comportement a changé du tout au tout. On dirait qu'il a pris de la maturité en quelques jours. Incroyable ! Il est plus tranquille et plus réfléchi. Je vous le dis, c'est un autre gamin, et j'en suis très heureuse.

– Moi aussi, dit Patricia, la mère de Maxime. Il lit davantage, lui qui ne lisait que des bandes dessinées et quelques livres de temps à autre. D'après Françoise, vos filles écrivent une pièce de théâtre avec mon garçon et Simon.

– Elles ne m'ont rien dit, répond ma mère sur un ton choqué.

– Bien oui, Mél, dit mon père. Tu ne te souviens pas ? Elles voulaient faire leur pièce au pic du Corbeau avec leurs copines. J'ai même construit un décor avec le père de Charline.

Malheureusement, les vents du dernier orage ont détruit leur décor.

Misère, pas cette histoire-là. Papa, ce n'était pas pour une pièce de théâtre, c'était parce qu'on avait déclaré la guerre aux gars de la rue.

– Eh bien, on n'a qu'à construire une nouvelle scène au même endroit, suggère le père de Simon.

– Non, dit mon père en prenant une gorgée de bière. Ouf! Que ça fait du bien, cette bière! Je veux dire une bière froide, pas une bière tablette comme la semaine passée.

Les hommes rirent, mais Patrica montre un intérêt et insiste.

– Je trouve que ce serait un endroit remarquable pour présenter une pièce. Le pic est parfait pour une scène et le terrain légèrement en pente forme des gradins naturels.

– Ben, poursuit mon père, il semble qu'elles n'en veulent plus! Les femmes, c'est comme ça!

Encore quelques rires masculins. Je n'en reviens pas que mon père dise de telles imbécilités. Papa ! Ce n'est même pas drôle ! Tu me fais honte !

– Ce qui importe, c'est que mon Maxime a pris goût à la lecture, poursuit Patricia en interrompant leurs rires. Je suis sûre qu'ils mijotent tous ensemble une belle pièce de théâtre en secret. Je suis aux anges.

Brrr… on ne pourra pas s'en sauver ! Écrire une pièce de théâtre, l'enfer ! Attendez que je dise ça aux autres demain.

– Nous, dit Gilles Deschamps, le père de Maxime, quand nos femmes sont aux anges, on ne demande pas mieux. Vrai ?

Les hommes se remettent à rire grassement. Mes oreilles en sont écœurées.

– Oui, poursuit Françoise, la mère de Simon. Je les ai vus travailler sur une pièce de théâtre. Je suis impatiente de voir ça ! J'avais dit que je les aiderais, mais malheureusement, je n'ai rien trouvé dans mes boîtes, rien d'intéressant pour des jeunes.

– Une pièce de théâtre ! s'exclame ma mère, ce n'est vraiment pas dans les cordes de nos filles. Je sais que Saléna adore jouer à l'animatrice avec un micro, mais pour Samara, ça m'étonne ! Elle préfère dessiner. À moins qu'elle ne veuille s'occuper des décors.

Brrrr... Voilà la brique que j'attendais ! Maman, tu ne pourrais pas te la fermer ? Il va falloir travailler sur une pièce de théâtre et sur des décors. Jus de betterave que ça ne me tente pas ! On va de désastre en désastre.

– Et puis, dit Patricia, curieusement, ils ont développé un goût pour les mets épicés. C'est tout de même bizarre. Maxime aime maintenant les sauces bien relevées, lui qui n'aimait pas l'ail auparavant.

– Enfin, on peut manger des ailes de poulet bien piquantes avec de la bonne bière fraîche en écoutant le football, plaisante Gilles. C'est super !

Je me lève pour fermer la fenêtre. J'en ai assez entendu. Je me remets au lit. Au bout d'un certain temps, je n'arrête pas de me retourner dans mon lit. Je me rends compte qu'il fait chaud, terriblement chaud dans la pièce. Je me lève pour ouvrir à nouveau la fenêtre. Je constate que plus personne n'est dehors. Je me retourne et je remarque qu'il n'y a plus de lumière sous la porte de la chambre. L'éclairage du corridor menant aux chambres est donc fermé. J'ai dormi plus longtemps que je pensais, le réveille-matin indique 1 h 30.

S'il y a une chose qui me console, c'est l'enthousiasme de nos parents et ceux de Maxime et Simon de nous voir heureux. C'est ça, des parents ! Puis, l'image d'Adeline, la petite centauresse malade, me vient à l'esprit. Oh ! Comme ses parents doivent être inquiets ! Il faut qu'on rapporte la pomme d'or, il le faut, je me répète.

Je me lève et je retire une boîte de souliers cachée dans le placard. Je soulève le papier de soie et découvre la pomme d'or. Ouf ! C'est au moins ça. Elle ne semble pas affectée par le temps. Elle est aussi belle que le premier jour.

Chapitre 5

FACE DE RAT

Comme promis, nous arrivons au pic du Corbeau vers 10 h. Depuis que l'électricité est revenue, la consigne voulant qu'on soit accompagnés lors de nos déplacements par un ou deux adultes est devenue désuète. Maintenant que les parents sont de retour au travail, cette consigne est plus difficile à appliquer. Youpi ! Enfin, nous sommes libérés de cette stupide directive. Bien sûr, il faut que nous disions où nous sommes, combien nous sommes, qui est avec nous et quand on a l'intention de revenir. Comme d'habitude, quoi ?

Quelques jours plus tôt, j'ai accompli le désir de la reine Centaura. Elle m'a remis un petit sachet contenant une graine toute ronde, bien ordinaire, pesant à peine un gramme, une graine brune semblable à une graine de radis. Elle me l'a remis dans de drôle de circonstances, comme s'il ne fallait pas que les cousins du roi, des centaures ailés, le sachent. Revenus chez nous, nous l'avons plantée dans une plate-bande tout près du pic au Corbeau en fin d'après-midi.

Le lendemain, notre père nous accompagnait. Ce fut toute une surprise. À l'endroit même où nous avions semé la minuscule graine, un magnifique sapin rose tout fleuri mesurant 1 m 20 avait grandi en une nuit. Mon père, fou de joie, est parti chercher son appareil photo et d'autres gens. Durant son absence, j'ai senti une fleur qui s'est transformée en une pomme d'or en quelques secondes. Depuis ce jour, je suis prise avec cette pomme, que je cache dans une boîte à souliers. Je sens que j'ai l'obligation de la rapporter à Sa Majesté la reine Centaura dès que possible.

Ce matin, je l'ai mise dans mon sac à bandoulière. C'est plus discret qu'une boîte à souliers. Samara a pris la peine de ramasser six beaux piments forts sur les trois plants de chilis du jardin de ma mère et les a glissés dans son sac à dos rose fuchsia. Dans une autre des poches, elle a placé le tube contenant sa carte.

Le ciel est nuageux et sombre. Quelques coups de vent me foutent la trouille. L'air est humide et chargé d'ozone comme lorsqu'un orage approche. J'ai la chair de poule. Depuis notre foudroiement, j'ai une sensibilité accrue et je ressens une peur indomptable lorsqu'il y a des éclairs et qu'il ne fait pas beau.

Nous arrivons au pic du Corbeau. Les gars sont déjà là, ainsi que trois indésirables, leurs anciens amis. Je comprends rapidement que Cédric, Paulo et Hugo n'ont pas l'intention de les lâcher de si tôt. Ils se chamaillent et se bousculent entre eux.

– Qu'est-ce que vous êtes venus faire ? je leur crie.

Les trois indésirables se retournent vers moi et nous jettent un regard noir. Cédric est le plus fâché des trois et s'enflamme de colère.

– Tiens, voilà la sorcière et sa sœur, vocifère-t-il. Je me demande bien pourquoi vous, les gars, vous vous tenez avec elles, surtout toi, Maxime !

– Ça le regarde ! je lui réponds du tac au tac avant même que Simon et Maxime aient le temps de répondre.

– Maxime, tiens-tu encore à te faire changer en face de singe ? ricane-t-il en s'adressant à lui.

Cédric commence à m'agacer sérieusement. Maxime plisse les yeux et ferme hermétiquement ses lèvres.

– On a su que vous avez une pièce de théâtre à préparer, gang de *losers*, glousse-t-il.

Les autres rigolent. Je suis rouge de rage et de fureur. Je ne peux le sentir et surtout, je n'en peux plus de voir ce grand roux aux cheveux bouclés et aux yeux vert émeraude. Ma furie est au maximum. Je positionne mes mains pour lui lancer un sort et je crie :

– Face de rat !

Ma sœur, qui a le béguin pour lui, a pressenti mon geste. Elle se lance sur mon bras alors qu'il en sort une puissante onde bleutée. Son action fait dévier le sort. Au lieu d'atteindre la frimousse du roux frisoté, elle atteint un arbre. Un boucan du diable et un épais nuage de fumée se produisent. Le vieux chêne a tenu bon. Paulo se rapproche tout doucement du grand feuillu centenaire encore fumant. Hugo, tout tremblotant, le suit, tandis que Cédric est pétrifié et reste sur place.

– Ça alors ! dit Paulo. Il y a une face de rat dessinée sur le tronc.

– C'est bien trop vrai, renchérit Hugo, les yeux hors des orbites.

Puis, il lance un grand cri et hurle, épouvanté :

– C'est une sorcière, une vraie sorcière ! Vite les gars, allons-nous-en d'ici !

Paniqués, les trois s'enfuient à une telle vitesse qu'ils trébuchent à chaque pas en grimpant la colline. Dès qu'ils ne sont plus visibles, nous rions.

– Poil de chameau, rigole Simon, je ne les ai jamais vus courir si vite. Allons quand même voir cet arbre.

Nous nous dirigeons vers le magnifique chêne, et voilà que mes yeux louchent tellement mon visage est collé sur son tronc. Je perçois très clairement une face de rat en profil parmi les rides de l'écorce.

– Oh, wow! je m'extasie. Ça, c'est du beau travail! C'est moi qui ai fait ça?

– Ouain, Cédric a failli avoir ce visage, dit ma sœur. Une chance que j'étais là pour faire dévier le sort!

– Grrrrr... Au contraire, j'aurais aimé le voir avec une face de rat et de longs poils sur le museau. Il m'a traitée de sorcière!

– Sérieusement? dit Simon.

– Ben non, je soupire. Il faut que je fasse attention quand je m'emporte. Je n'ai pas envie que toute la ville me traite de sorcière. Par

bonheur, l'effet n'est pas permanent, dis-je en regardant Maxime.

– Il faudrait surtout que tu sois plus discrète, prévient Samara d'un ton fâché. Pour l'instant, tu es la seule parmi nous soupçonnée de sorcellerie.

– Tu peux bien parler, je lui relance. Ton don, impossible qu'il soit détectable.

– Elle a raison, ajoute Maxime. Nous devons faire attention !

Facile à dire ! Leurs pouvoirs ne sont pas perceptibles.

– Tu peux bien parler, je rouspète, le tien est encore moins détectable.

– Saléna, essaie de comprendre, renchérit ma sœur. Jusqu'à maintenant, on peut peut-être s'en tirer. Tu te souviens de ce qu'a dit monsieur le maire ?

– Oh que oui ! Il a dit de sa plus belle voix mystérieuse et ténébreuse qu'il se pourrait bien que des phénomènes étranges se produisent.

– Ouais, mais cet argument ne tiendra pas la route longtemps, dit Simon. Les gens vont finir par l'oublier. Sois prudente !

– Ah ! Que vous pouvez être agaçants ! Je n'ai pas envie d'être enfermée.

– ALORS, CESSE TES SORTILÈGES ! crie ma sœur.

– BEN OUI, BEN OUI, je lui lance. JE NE FAIS PAS EXPRÈS !

– BEN JUSTEMENT, LA VIEILLE, FAIS ATTENTION ! vocifère ma sœur.

J'ai bien envie de lui tirer les cheveux, mais Maxime ajoute sur un ton calme :

– Au moins, ils sont partis. Allons nous asseoir sur le pic du rocher.

J'étais vraiment sur le point de sauter une coche, mais le ton calme de Maxime m'apaise, et je me dirige vers le rocher tout en continuant de rouspéter contre ma sœur. Nous passons devant ce qui reste du sapin, un chicot sec mesurant 1 mêtre 20.

– Regardez ! s'étonne Simon. Il y a une pousse au pied de l'arbre.

– Quoi ? je m'étonne.

Je me penche et je vois qu'il y a bien une petite pousse ressemblant à une asperge rose. Elle mesure à peine plus de trois centimètres. Maxime porte, comme moi, un sac en bandoulière, mais le sien est en grosse toile vert kaki, alors que le mien est plus léger et de couleur rose. Il sort une loupe de son sac.

– C'est le sapin qui repousse ? je demande.

– Ou c'est peut-être autre chose ! suggère Simon.

– Non, répond Maxime. Aussi surprenant que ça soit, je vois de minuscules branches avec des aiguilles.

– Cool ! se pâme Samara.

– C'est bizarre qu'il ne pousse pas aussi vite que la première fois, dis-je en me redressant.

Maxime cherche, en se relevant, un appui sur le tronc desséché. La branche casse sous la pression. Maxime, étonné, la laisse tomber par terre. Intrigué, il pose la loupe au sol et ramasse la tige toute sèche. Un éclair sillonne le ciel et un formidable coup de tonnerre gronde. Un court

instant, je regarde le ciel sombre, et lorsque je fixe à nouveau le tronc sec, celui-ci s'est transformé en une lance brillante argentée se terminant par une fourche à trois dents.

– Wow ! dis-je, impressionnée. Comment as-tu fait ça ? On dirait un trident !

Le ciel s'obscurcit en l'espace de quelques minutes. De gros nuages noirs envahissent le firmament et le vent se lève.

Le vent est tellement fort et puissant que Maxime plante l'objet argenté dans la terre, tout près de la pousse naissante, comme pour s'ancrer au sol. Un autre éclair zigzague dans le ciel et entre en contact avec le trident. Un coup de tonnerre durant une bonne minute enterre les cris de Maxime. Puis, un tourbillon se forme autour de nous, charriant le sable de la plage, des bouts de branches et des cailloux qui me flagellent les jambes. Je ferme à demi les yeux et porte un bras à mon visage pour me protéger de ces projectiles. Je sens un puissant vortex nous entourer et nous soulever. Mes pieds décollent du sol et mon corps s'agglutine contre

l'arme tenue par Maxime. Impuissante, les yeux larmoyants, je crie d'horreur. Puis, le tourbillon devient d'une telle violence que je suis au milieu d'une tornade. Je tournoie autour de l'objet argenté et j'aperçois ma sœur, Maxime et Simon être eux aussi entraînés dans ce mouvement. Soudainement, le vent nous plaque les uns contre les autres. L'objet s'enfonce dans la terre centimètre par centimètre et nous entraîne, ou plutôt nous enterre avec lui.

Chapitre 6

L'AUTRE MONDE

Une grande frayeur s'empare de moi. Les entrailles de la terre s'ouvrent. Un énorme trou noir est devant nous. Nous sommes littéralement aspirés à l'intérieur des ténèbres. Je ferme les yeux ainsi que la bouche pour ne pas avaler toute cette terre qui fonce sur nous. Le souffle me manque. J'aimerais crier. La pression du vent est tellement forte que je n'arrive plus à émettre un seul son, même pas un petit. J'ai l'impression de manquer d'air. Je crois que je vais tomber dans les pommes d'ici quelques minutes. Mes oreilles bourdonnent et je ferme les yeux si fort que les muscles de mes tempes me font mal. Puis, c'est l'impact. J'atterris la tête première dans un tas de foin qui est loin d'être moelleux. J'ai mal partout. Je n'ai même pas la force de m'examiner.

Après avoir toussé pendant quelques secondes, je me rends compte que le gros tas de foin est en mouvement. Encore étourdie, je relève la tête et j'ai tout juste le temps de me recoucher afin d'éviter de heurter un mur de pierre qui se présente devant moi à une vitesse folle. Je vois finalement que je suis dans un wagon contenant du foin qui entre dans un tunnel. Je ne sais pas combien de wagons la locomotive tire. Tout ce que je sais, c'est que le tunnel est sombre et long. Le train file à vive allure. Au bout d'une dizaine de minutes, il ralentit et nous débouchons dans un grand espace fermé et éclairé. Des milliers de chandelles illuminent les lieux. De toute évidence, nous sommes à une autre époque ou dans un autre monde.

Doucement, je me redresse. J'entends quelqu'un tousser au loin.

– Est-ce que c'est toi, Maxime ?

– Oui, répond-il d'une voix enrouée qui m'apparaît ténue et lointaine. On dirait qu'on est arrivés à destination.

– Wow ! chuchote ma sœur. C'était une vraie balade à grande vitesse ! Voyez-vous quelqu'un ?

– Non, dit Simon, mais je crois qu'on devrait rester discrets. Il doit bien y avoir quelqu'un qui conduit cette locomotive.

Lentement, le train se remet en marche, cette fois-ci en marche arrière. Les bruits que j'entends sont inquiétants et me font craindre le pire. Le train recule de plusieurs mètres avant de s'arrêter. Puis, il poursuit sa course vers l'avant de quelques mètres et s'arrête à nouveau. Il effectue ce manège plusieurs fois.

– Qu'est-ce qui se passe ? dis-je assez fort pour être comprise par les autres.

– Je ne sais pas, mais ça regarde mal, dit ma sœur. Je crois que nous sommes dans une gare, mais quelle gare ?

Un vacarme de portes grinçantes qui s'ouvrent retentit dans le hangar.

– Moi, j'ai l'impression qu'on décharge les trains, conclut Simon.

Je penche la tête et, au loin, je vois… je n'en crois pas mes yeux… des robots qui manipulent les wagons. Quatre wagons nous séparent de l'endroit où ils se tiennent. Je gèle sur place. J'ose regarder de nouveau. J'ai bien vu. Des robots !

– Il faut qu'on descende du train au plus vite, je chuchote.

– Des robots, dit ma sœur, je vois… des robots. Est-ce possible ?

– Il semble que oui, je lui réponds avec des trémolos dans la voix.

Nous pénétrons dans une aire de plus en plus dégagée où se tiennent trois robots énormes et rutilants. Il ne reste plus que trois wagons à passer avant que nous atteignions cette zone menaçante. Je serai la première à faire la rencontre des monstres de fer qui ouvrent les portes latérales du wagon-tombereau vers eux pour ensuite pénétrer à l'intérieur et placer le contenu du wagon dans une grande fosse derrière eux. Par chance, je vois une opportunité de déguerpir au plus vite de cet endroit peu accueillant.

– Je vais sauter au prochain arrêt. Il y a un espace dégagé juste avant la cloison devant nous. Je crois c'est notre seule chance de ne pas être vus par ces robots, j'annonce aux autres.

Le train repart et fait un autre arrêt. Mon cœur bat à tout rompre. Il faut que je saute. Je m'approche du bord et, contre toute attente, je glisse et tombe sur le plancher de bois en entraînant avec moi un bon tas de foin qui amortit le bruit de ma chute. En deux temps trois mouvements, je roule sur le côté et me précipite me réfugier à l'endroit repéré le long du pan de mur.

Je suis en état de choc. Je tremble comme une feuille. Je ne crois pas déjà avoir eu si peur. Le train se remet en marche et s'arrête. Je vois une boule de foin dégringoler. Deux bras en sortent. Samara se précipite vers moi. Nous

nous collons l'une contre l'autre et nous avons clairement toutes les deux envie de pleurer.

Le train repart et interrompt sa marche. Simon dévale le wagon de foin et atterrit en petit bonhomme sur ses deux pieds, puis il court comme un défoncé vers nous. Nous sommes à présent trois à trembloter. Le train repart et s'arrête. Nous attendons. Rien ne se passe.

– Maxime, je chuchote. Descends !

Rien ne se passe. Horrifiés, nous voyons le wagon poursuivre son chemin. Nous suivons du regard le wagon et nous avons peine à croire que Maxime soit resté là. Encore une fois, le train s'arrête, repart et s'arrête à nouveau lorsque le bruit métallique d'un objet tombant au sol attire mon attention. Maxime vient de tomber et, dans sa chute, le trident rebondit à quelques reprises. Fort heureusement, le bruit du train qui vient de repartir enterre les sons métalliques de l'arme. Il doit s'y prendre à deux fois avant de réussir à saisir l'objet, puis il s'élance vers nous.

– Te voilà, lui dis-je en le saisissant par la manche de son t-shirt. Tu ne peux pas savoir à quel point j'ai eu peur que tu ne sautes pas. Ne recommence plus ça ! j'ajoute en sanglotant.

Tous réunis, nous nous serrons et nous accroupissons. Après quelques sanglots, nous nous calmons. Les wagons sont complètement vides et le train est reparti dans la direction contraire. Les robots ont fermé les lourdes portes métalliques de la fosse et se sont arrêtés. Nous nous sentons terriblement seuls dans ce vaste bâtiment tout en bois.

– Où sommes-nous ? demande Samara.

– Je n'en ai aucune idée, sûrement pas au pays des centaures, je réponds. Moi qui m'attendais à retrouver le château et les dunes de sable.

– Qu'est-ce qu'on fait ? demande Simon.

– Il faut sortir d'ici et explorer les lieux, je suggère.

– Es-tu folle ? marmonne d'un ton fâché Simon. Qu'est-ce que tu espères ?

– Eh bien, essayer de trouver les centaures et de leur donner la pomme d'or, je dis. Et puis, nous ne pouvons rester éternellement ici, dans cette gare.

– D'accord ! dit Simon. À une seule condition : si tu as apporté les piments et que j'en mange un. Il me semble que ça me donnerait de la force.

– Eh bien, je crois que je peux exaucer ton vœu, dit Samara en ouvrant son sac à dos. J'en ai.

Chapitre 7

EXPLORATION DES LIEUX

Après avoir croqué chacun un jalapeño, nous sentons une grande énergie nous envahir et se répandre jusqu'au bout de nos ongles. Nous avons l'impression d'être invincibles et prêts à visiter ces lieux insolites et pleins de mystère. Je le vois par nos yeux brillants et par mes douleurs qui ont totalement disparu, comme par magie. Je me sens bien et prête à affronter n'importe quel monstre. Simon est content qu'il nous reste encore deux piments, lui qui est accro depuis peu aux chilis.

– Tu m'en donnes un autre ? demande-t-il à ma sœur.

Je fais un clin d'œil à ma jumelle. Simon a toujours été, depuis que je le connais, le plus intrépide et le plus casse-cou de nous tous. Il n'a peur de rien, du moins, il ne le laisse pas transparaître.

– À condition que tu prennes les devants, je lui dis.

– D'ac ! répond-il en esquissant un sourire narquois.

Samara le lui donne et lui, il lui fait un clin d'œil avant de le glisser dans la poche arrière de son short. Je jurerais avoir vu ma sœur rougir, elle qui a le béguin pour Cédric. J'en suis toute chamboulée de la voir s'attendrir pour Simon alors qu'on trouvait, il n'y a pas si longtemps, qu'il était le plus grand débile que la terre ait porté.

– Examinons les lieux, dit-il en se positionnant à l'extrémité du mur et en étirant le cou.

J'acquiesce et je me place plus bas, sous lui. Au fond de ce grand bâtiment où sont entreposés des wagons vides, du foin et d'autres appareils, je vois une grande porte métallique. Les trois robots se sont arrêtés, mais comment savoir s'ils sont réellement en mode stationnaire ou s'il n'y a pas un détecteur de mouvement qui remettra ces monstres en marche dès que nous passerons près d'eux ? Simon se redresse. En catimini, nous discutons.

– Je crois que nous n'avons pas trop le choix. Je ne vois que deux solutions, dit-il. Je me rends à la porte tout seul ou on y va tous ensemble.

Je jette encore un coup d'œil aux automates qui sont alignés le long de la voie ferrée, comme en attente d'un autre train.

– Je crois qu'on devrait y aller ensemble, je propose. Les gros machins trucs sont immobiles. C'est le temps ou jamais.

Les deux autres acquiescent de la tête. Divers wagons abandonnés sont disposés au fond de la place et le long du mur extérieur, tout près de la grande porte. Nous marchons à pas de loup vers le premier wagon et nous nous arrêtons. Pendant que nous nous dirigeons vers le deuxième, nous sommes à découvert, derrière les robots. Arrivés là, Simon se retourne vers nous.

– Nous ne sommes qu'à quelques pas des robots, dit-il. Je vais passer le premier derrière eux et si ça fonctionne, je veux dire si vous ne voyez aucun mouvement de ces grosses bibittes métalliques, vous me suivez. Compris ?

Simon, notre kamikaze du quartier, ne craint pas de sauter dans le vide, de faire des cascades époustouflantes avec son vélo, de chuter et de se blesser, mais cette fois-ci, je trouve que c'est trop risqué.

– Èt si ça ne marche pas ? je chuchote en tirant sur son t-shirt.

– Tu oublies mes pouvoirs. Je vais réduire ces robots en bouillie, blague-t-il.

Depuis l'Événement, Simon peut lancer des éclairs de feu. Il l'a d'ailleurs démontré à plusieurs reprises. Mais cette fois-ci, je crains qu'il soit trop confiant.

– Et si tes pouvoirs flanchent ? Je veux dire, c'est toujours possible qu'ils ne fonctionnent pas à cause du lieu où nous nous trouvons ! j'insiste.

– Je vais manger un autre jalapeño et crois-moi, je vais péter le feu, dit-il en me faisant un clin d'œil et en mettant sa main sur sa poche arrière où est le piment fort.

Il se retourne et, à demi courbé, il part avant même qu'on lui donne notre accord.

– Sois prudent, je lui murmure, bien que je sache qu'il ne m'a pas entendue.

Il se dirige vers le troisième wagon sans problème et continue sa marche jusqu'au quatrième, situé à trois ou quatre mètres de la sortie. Rendu là, il se met en tailleur et nous fait signe de le rejoindre. Samara me regarde. Je hoche de la tête, puis je prends une grande respiration. J'y vais.

Le cœur battant la chamade et les jambes tremblotantes, je passe derrière ces monstres de fer de deux mètres. Wow ! Très impressionnants, surtout lorsqu'on n'est qu'à quelques mètres d'eux. Je m'écrase presque par terre lorsque je rejoins Simon, puis je fais signe à Samara d'y aller. Aussi agile qu'un félin, elle passe derrière eux sans faire un seul bruit. C'est au tour de Maxime, mais comme il commence à se lever, les robots bougent et se dirigent vers la sortie.

Horrifiés, nous nous déplaçons vers l'arrière du wagon. Les robots ouvrent la porte. Dans un ultime effort, Maxime court derrière les robots en marche et réussit à se faufiler jusqu'au wagon où nous nous trouvons. Juste avant de nous rejoindre, il laisse tomber son trident, qui émet des sons métalliques en tombant et en rebondissant sur le plancher de bois. Les bruits résonnent comme dans une caisse de résonnance pour ce qui me semble être une éternité. Il le ramasse enfin et se colle à nous.

Les robots ont arrêté leur marche et leurs corps se retournent sur eux-mêmes en grinçant. Ils sont en mode recherche. Puis, ils se mettent en marche vers la source du bruit, c'est-à-dire vers nous. Les grincements et les cliquetis qui accompagnent chacun de leurs pas nous effraient. Nous nous précipitons sous le wagon. L'un d'eux interrompt son déplacement et se positionne à quelques pas de la sortie, tandis que deux de ces monstres marchent de long en large autour du wagon, tout près de nous. Ils semblent nous chercher, mais sans se plier. Je trouve ce point intéressant. Serait-ce leur point faible ? Puis, ils abandonnent leurs recherches. Ils se remettent en marche vers la sortie et referment la porte. Une fois qu'ils sont assez loin, je pousse un soupir de soulagement.

Encore sous le choc, nous attendons très longtemps avant de sortir de notre cachette. Nous nous levons et marchons vers la porte. Simon essaie de l'ouvrir en appuyant dessus à plusieurs reprises. Elle bouge sous la pression, mais ne s'ouvre pas. On pousse tous les quatre. Même chose. Elle reste bien fermée. Le mécanisme d'ouverture est localisé trop haut. Nous ne pouvons atteindre la serrure.

– Sapristi, on est encabanés ici !

– Non, pas dans cet endroit lugubre, je soupire. Toi et ta stupide barre de fer, tu as failli nous faire repérer par deux fois à cause de ce trident.

Maxime ne se fâche pas. Patiemment, il lève sa lance pour atteindre la serrure située au-dessus de nous.

– Sauf que je peux lever le loquet et ouvrir la porte, annonce-t-il d'un ton parfaitement calme.

Ce qu'il fait. Nous le regardons de nos yeux tout ronds.

– Et puis, poursuit-il, voulez-vous que je l'ouvre ?

Il fait glisser le loquet. Le mécanisme est débloqué et la porte, libérée. C'est avec une grande délicatesse que nous entrebâillons le battant. Simon s'étire le cou et regarde dehors.

– Rien. Je ne les vois même pas. En avant de moi, je vois la mer, quelques arbres, de l'herbe haute et des vallons.

– Allons-y, je dis.

Chapitre 8

ATTAQUE

Une fois dehors, nous contemplons les lieux. L'endroit est loin d'être paradisiaque. Il n'y a que des arbres rabougris, une végétation rachitique et sauvage, du sable, des cailloux et des montagnes.

– Ça alors ! s'écrie Samara. Je m'attendais à quelque chose de beaucoup plus luxuriant. D'après le roi Thaumas, il y avait une magnifique forêt et de l'eau qui coulait au pied de leur palais.

– Tu as tout à fait raison, lui dis-je. Je m'attendais à une forêt, des herbes hautes, des papillons voltigeant dans tous les sens et des abeilles butinant de magnifiques roses. Je ne vois que des vallons et de maigres feuillus avec un feuillage clairsemé et jaunissant.

– Regardez à droite, ces immenses rochers ! s'étonne Simon. On dirait des menhirs.

Il a raison. Exactement comme dans notre livre de géographie, de vrais menhirs. Nous nous approchons des cinq pierres situées au haut d'une colline. Tout en marchant, nous jetons des coups d'œil furtifs autour de nous. Je sens un piège. Les lieux sont trop calmes.

– Où sont les robots ? murmure Saléna.

– Moi aussi, je me demande bien où ils sont passés, dit Simon à mi-chemin entre le hangar et les menhirs.

Rendus en haut, nous avons une meilleure vue d'ensemble. D'un côté, il y a la mer et de l'autre, il y a le hangar dans le lequel nous étions. Il est interminable et il semble sortir de la montagne. Le long d'un de ses murs extérieurs, des alcôves sont construites en retrait, et dans chacune des alcôves, un robot est posté.

– Ils sont là, dit Maxime, qui vient de faire la même découverte que moi.

Nous interrompons notre marche pour examiner la grande construction accolée à la chaîne de montagnes. Cette cordillère s'étale à perte de vue. Une mince parcelle de territoire longe la dorsale, un territoire limité par l'océan, un territoire appauvri par l'assaut constant de la mer et par l'érosion causée par des pluies diluviennes.

Je suis consternée de me retrouver dans un endroit si peu accueillant. Je me retourne et j'observe à nouveau les robots disposés dans chacune des alcôves. Ils sont immobiles. Je compte 20 alcôves et, par le fait même, 20 robots le long de ce mur.

– On dirait qu'ils sont stationnés, conclut Simon.

– J'espère bien. Ils me donnent froid dans le dos, je lui chuchote.

– Allons voir ces menhirs, s'enthousiasme Simon, beaucoup trop confiant à mon avis. Si jamais un de ces sacripants métalliques bouge, je vais lui faire exploser la cervelle, ou du moins la leur faire brûler, c'est promis !

J'admire son audace et je ne trouve rien pour l'en dissuader. Nous nous déplaçons avec une certaine ardeur tout en dirigeant notre regard de temps à autre vers les robots. Nous avançons vers les menhirs lorsqu'un bruit suspect me fait tressaillir. Avant même que je puisse faire quelque chose, des filets nous tombent sur la tête. En un rien de temps, nous chutons l'un après l'autre comme des dominos.

– Qu'est-ce qui se passe ? je crie aux autres.

– Je n'en sais rien. Tout ce que je sais, c'est que je n'ai plus mon trident, constate Maxime.

Aplatie au sol, j'ai peine à relever la tête. Malgré tout, j'arrive à voir un homme petit, trapu et portant des vêtements sombres et lourds. Il a de longs cheveux et sa moustache se termine par des tresses. Il ramasse le précieux trident et fait signe aux autres de s'approcher. En quelques minutes, 10 nains nous entourent et examinent l'objet avec attention. Ils bavardent entre eux. Malgré leur petite taille, ils m'effraient, avec leurs gros marteaux pendus à leur ceinture et leurs épaulettes en métal.

– Je reconnais ce travail, dit le nain tout en tenant l'objet. Travail grossier et brouillon. C'est l'œuvre d'un débutant.

– Ouain, approuve l'autre. Rien qui puisse accoter notre travail.

Il appuie sa déclaration en crachant par terre, à deux doigts de ma tête. « Eille ! Tu ne pourrais pas faire attention ? je me dis. Les droits des prisonniers, tu ne connais pas ça, par hasard ? »

– Ils sont du camp ennemi, dit le premier. Amenez-les, nous allons les cuisiner.

« Cuisiner ? Est-ce que j'ai bien entendu ? Ils vont nous cuisiner comme dans mettre dans un faitout, dans une grosse marmite sur le feu et nous manger ? Il faut faire quelque chose ! » Dans ces moments-là, je panique et mon cerveau se liquéfie. Ma sœur et mes amis n'ont pas l'air d'avoir plus d'inspiration.

Au lieu de nous soulever, ils nous tirent comme un sac de patates. Lors du passage de notre monde à ce lieu, nous nous étions déjà écorché les genoux et les mains, et cette traînée n'arrange pas du tout le sort de nos plaies à peine cicatrisées. Comble du malheur, ils nous traînent aux abords d'une rivière. Je me sens comme un petit ballot qu'on va jeter à la mer. Les nains sont drôlement forts. Ils nagent avec une seule main aussi bien qu'un dauphin, alors que l'autre main tient le filet. Moi, je m'enfonce dans l'eau. Même si je suis une grande nageuse, d'après Daris, mon prof de natation, je suis sûre que même lui serait incapable de nager dans un filet fermé serré avec trois de ses amis.

Par bonheur, la traversée se fait à une très grande vitesse et je me retrouve de l'autre côté de la rive. Je ne suis pas la seule à tousser comme une malade. Samara, Maxime et Simon ont une quinte de toux tout aussi importante que la mienne.

Enfin, ils nous détachent. Je me regarde. Je suis totalement trempée. Je n'ose regarder l'état de ma pomme d'or dans mon sac en bandoulière, de peur de révéler sa présence.

C'est curieux qu'ils n'aient pas fouillé nos effets. Nous restons accroupis en attendant l'ordre de nous relever. Autant les centaures nous effrayaient par leur haute stature, autant les nains nous impressionnent par leur musculature très développée, même si certains sont à peine plus grands que nous. Nous sommes entourés de femmes et d'enfants qui ricanent en nous voyant. J'ai les coudes et les genoux en sang.

– Qui êtes-vous ? je demande en grimaçant de douleur.

– Des Mjöllnirs, répond un nain au visage dur et aux yeux d'acier, celui qui semble de surcroît être le chef. Et mon nom est Vatir.

– Vatir ! répète Maxime, dont les yeux sortent presque hors de leurs orbites.

Mais qu'est-ce qui lui prend de lui parler ? Il devrait se taire.

– Oui, mon garçon, s'étonne le chef d'une voix nettement plus douce et à la fois surprise. Et toi, petit sorcier ?

– Maxime. Mais... pourquoi dites-vous que je suis un sorcier ?

– Parce que toi et tes compagnons, vous êtes des sorciers.

– Nous ne sommes pas des sorciers, dis-je promptement, nous sommes des humains.

– C'est ça, vous n'êtes pas des hobereaux, ni des elfes, ni des fées, vous êtes des humains, donc des sorciers. C'est ce que je disais, dit Vatir en posant ses deux mains sur sa large ceinture de cuir, tout en nous toisant de haut.

– Les centaures nous ont traités eux aussi de sorciers, chuchote Simon.

Les nains ont apparemment l'oreille fine. Le chef devient rouge comme une tomate. Il crie en secouant sa tête et ses lourdes tresses rousses :

– LES CENTAURES ? SURTOUT, NE PRONONCEZ PAR CES MOTS DEVANT NOUS ! JE NE SUIS PAS CAPABLE DE LES SENTIR !

– Pourquoi ? questionne ma sœur en tremblotant et en sanglotant.

« Voyons, Samara, qu'est-ce qui te prend de questionner le monsieur ? Il est bien assez en colère comme ça », je pense.

– Ce sont des méchants, des êtres ignobles qui ont transformé ce sol en terre infertile, répond-il en se calmant parce qu'une des naines lui a fait signe de s'apaiser.

– Où sommes-nous ? demande Maxime, qui paraît moins intimidé que nous et qui semble même le connaître.

– Sur le continent Kratus, au pays du Hautcentaure.

– Et sur quelle planète ? poursuit Maxime.

Je le regarde en agrandissant mes yeux pour qu'il comprenne que je veux qu'il se ferme le clapet au plus vite. Mais pourquoi pose-t-il toutes ces questions ? On dirait qu'il connaît la réponse. Est-ce possible ?

– Eh bien, mon garçon, s'étonne le chef, nous sommes sur la planète Arès de la galaxie Sombre.

Le visage de Maxime se rembrunit. Je lis dans ses yeux une déception, mais… pourquoi ?

– Que venez-vous faire sur nos terres ? demande rudement Vatir.

– Eh bien, dis-je en déglutissant, nous nous sommes perdus. On voulait retourner dans un monde que nous… que nous… euh…

Et là, je ne sais même pas ce que je pourrais ajouter. En fait, je ne suis même plus sûre de savoir où je m'en vais avec mon histoire. Vais-je lui dire que ma sœur a dessiné une carte moche avec un château encore plus moche, que la chatte Clio de Maxime a sauté sur la carte et l'a amochée, et pour finir le tout que mon père l'a utilisée pour allumer un barbecue et que la carte n'est plus qu'un amas de cendres ? Je ne suis pas sûre qu'ils vont comprendre mon histoire !

Le nain à côté du chef n'apprécie pas mon hésitation. Il s'avance vers moi en dégainant son marteau et le brandit au-dessus de ma tête. Aïe ! Petit homme, sais-tu que tu peux blesser quelqu'un avec ça ?

– Un monde que vous avez quoi ? demande-t-il.

Me sentant menacée, un drôle de son sort de ma gorge, un genre de bêlement. Je ferme les yeux et je colle mes mains l'un contre l'autre. Je suis sûre que je vais recevoir un coup de massue sur la tête.

– LAISSEZ DONC CETTE ENFANT, BARBET, crie une naine qui se trouve derrière. Vous voyez bien que ce ne sont que des enfants et qu'ils sont terrorisés !

– Ouais, des enfants sorciers, reprend un autre nain aux longs cheveux blonds avec des pointes blanchâtres qui se trouve en face de moi.

– Ils n'ont qu'un faible pouvoir, annonce la dame, je le sens.

Je me demande bien ce qu'elle veut dire. Nous n'avons qu'un faible pouvoir ? Au moins, cette annonce semble avoir un effet dissuasif sur Barbet, qui range son marteau. Je respire mieux.

– Rentrons chez nous ! Ils ont besoin de vêtements secs et propres. Un bon bain leur fera le plus grand bien. Même si la traversée de la rivière leur a enlevé un peu de saleté, ils sont encore bien crottés.

La foule se met à rire. Je voudrais protester, mais nous sommes tous les quatre dans un état épouvantable. J'ai les genoux écorchés, les cheveux en broussailles, et le bas de ma salopette frangée et d'une couleur brunâtre. Il est heureux que mon sac en bandoulière ait tenu le coup. En posant ma main sur le sac, je sens la présence de la pomme d'or. Elle semble encore en bon état.

Nous traversons une petite clairière et nous arrivons au pied d'un escarpement dans lequel des maisons sont construites, en partie dans la terre et en partie hors de la terre. Elles s'empilent les unes par-dessus les autres. Des échelles extérieures permettent d'y accéder. L'ensemble forme un tout harmonieux et chaleureux avec les toits de chaume et les pierres de champs brunâtres.

Nous apprenons que la maison du chef est celle qui se trouve au sommet de cet empilement. Fort heureusement, mes compagnons, ma sœur et moi n'avons pas le vertige. Nous grimpons les échelles. J'appréhende d'y trouver une salle de torture, mais contre toute attente, en arrivant au seuil de la porte, je trouve les lieux bien éclairés. Les deux pièces que je vois ont l'air d'un salon et d'une salle à manger bien ordinaires.

– Bon, dit Vatir d'une voix forte. Je crois qu'il faudrait les savonner. Je n'ai jamais vu des enfants si crottés.

La dame rit et nous ne savons pas trop à quoi nous attendre. Les trois enfants aux grands yeux et aux visages angéliques qui se trouvent dans la maison nous font tous un grand sourire. Mon anxiété diminue de moitié, mais je ne me sens pas mieux pour autant.

Chapitre 9

UN BAIN OBLIGATOIRE

Après un bon bain, Samara sort la première de la salle de bain en portant des vêtements prêtés en tissus grossiers ayant de nombreuses garnitures en cuir aux épaules, à la taille et au thorax. Elle a l'air d'un pauvre petit chat qui est tombé à l'eau avec ses longs cheveux encore mouillés, ses vêtements trop petits et des bandages un peu partout sur ses genoux et sur ses bras. On dirait que les vêtements ont rapetissé sur elle.

Je me mords la lèvre inférieure pour ne pas éclater de rire tandis que Maxime et Simon ricanent en fixant le plancher. Nous sommes assis en tailleur dans une immense pièce près d'un foyer éteint en raison de la saison estivale. Samara nous rejoint et s'accroupit. Alors qu'elle s'incline, je suis surprise que ses vêtements soient aussi souples.

Je porte toujours mon sac à bandoulière sur moi. Après un bain involontaire dans la rivière, je n'ai toujours pas osé regarder à l'intérieur afin de ne pas attirer l'attention de nos hôtes. Ma plus grande préoccupation est la carte de Samara. Dans quel état est-elle ? La première carte avait eu un baptême de feu. Celle-ci vient de connaître un baptême d'eau. Je doute qu'elle ait survécu à ce traumatisme. Faudra-t-il dessiner une autre carte ? Sûrement.

– À qui le tour ? demande la dame en sortant de la salle de bain.

Personne ne répond. Vatir, qui fait sauter un jeune enfant sur sa jambe, rit grassement en percevant notre réticence. Deux autres enfants se tiennent derrière sa chaise et nous regardent avec un sourire espiègle.

– Vas-y, Saléna ! me dit ma sœur. Ce n'est pas si mal.

– Non, je ne veux pas y aller tout de suite, je réponds. Vas-y, Maxime !

– Les demoiselles d'abord, annonce le chef de la famille d'une voix terrifiante.

– Allez, jeune demoiselle, ne me fais pas attendre, ricane la dame en me voyant tarder à y aller. Je ne vais pas vous manger. Et vous, les gars, ce sera mon mari Vatir qui vous aidera. Il a le bras solide et il est très bon pour enlever la crasse. Quelques bons coups de brosse à crin, ça décolle la moindre moucheture, surtout derrière les oreilles !

– Saléna ne veut pas y aller tout de suite, annonce Simon. Je veux bien prendre son tour.

Je rougis. Il est prêt à se sacrifier pour moi, à moins… qu'il ait compris que la dame est sûrement plus douce que monsieur. Mais Vatir en a décidé autrement et il crie :

– STOP ! J'AI DÉCIDÉ QUE CE SERAIT L'AUTRE DEMOISELLE. Allez, levez-vous, jeune fille, avant que je vous botte votre charmant postérieur !

« Oh ! Quel être ignoble ! Me botter le postérieur ! » Je me lève avant qu'il passe à l'action. Je dépose mon précieux sac près de celui de ma jumelle et je disparais derrière le pan de tissu servant de porte. De l'autre côté, un gros bain en cuivre brillant et rutilant sur pied imitant des pattes de lion trône au milieu de la pièce. Un petit poêle-réchaud chauffe des pierres qui transmettent de la chaleur à cette grosse bassine ainsi qu'aux carreaux en terre cuite du sol.

L'eau est toute chaude et propre. Elle y verse un peu d'huile essentielle à la lavande et un savon mousseux. Je me débarrasse de mes vêtements crottés et je plonge dans la grosse marmite. L'eau est délicieusement à la bonne température. Elle me frotte le dos avec un luffa ultra doux, puis me frictionne les cheveux avec une préparation jaune qui mousse bien et dont l'odeur est sucrée.

– C'est quoi, ce shampoing ?

– Une préparation de ma grand-mère qui rend les cheveux éclatants : un jaune d'œuf, du miel et un peu de savon râpé.

– C'est tout ?

– C'est tout.

Lorsque je sors du bain, elle applique un onguent verdâtre sur mes blessures, puis les recouvre de gaze. Je ressors au bout d'une dizaine de minutes vêtue pratiquement de la même façon que ma sœur et je me sens totalement détendue. Les gars ne rient pas à ma sortie et je me garde bien de dire que l'expérience fut à mon goût. Ils savent que c'est à leur tour. Vatir délaisse son enfant et se lève. De sa voix grave, il pointe Simon.

– Toi, suis-moi ! ordonne-t-il.

Je vois Simon avaler de travers sa salive. Je regarde Samara et nous nous retenons pour ne pas rire. Je comprends que c'est de la comédie. Je ne pensais pas que les nains étaient si malicieux. Le chef est beaucoup plus démonstratif que son épouse et son visage est empreint d'une sévérité excessive. Simon crie de temps à autre des « aïe, aïe, aïe ». Je ne sais pas s'il souffre vraiment ou s'il joue à un jeu avec Vatir.

Au bout d'une dizaine de minutes, il apparaît et vient nous rejoindre timidement. Il est aussi propre qu'un sou neuf. Sa peau n'a jamais été aussi blanche et je crois que Vatir a frotté un peu trop fort ses oreilles, car elles sont rouges jusqu'au bout. Il porte un costume tout aussi ridicule que les nôtres.

Puis, c'est au tour de Maxime. Plus futé que nous, il a compris que c'était un jeu. Malgré leur allure sévère, les nains sont de nature gentille et espiègle. Il se rend à la salle de bain sans rouspéter. Lorsque Maxime émet un premier cri qui sonne totalement faux, nous partons à rire. Nous comprenons que Vatir le pousse à hurler. Simon part à rire et il en est de même pour ma sœur et moi. Notre peur s'est envolée. Maxime revient et s'accroupit près de nous, le regard espiègle.

– Ah, que vous êtes beaux ! Plus de crasse, dit Vatir, tout fier de ses talents de super nettoyeur. Maintenant, nous pouvons manger. Lenka, qu'as-tu préparé ?

Par la petite fenêtre du salon, les rayons du soleil viennent rougir le plancher de bois franc. Et là, je me rends compte que nous sommes pratiquement en soirée. J'ai une grosse boule dans la gorge. Nos parents doivent être paniqués, mais je ne peux le partager avec mes hôtes. Ils semblent croire que nous ne venons de nulle part, que personne n'est à notre recherche et que nous sommes des sorciers.

– Ce que tu aimes le plus, mon chéri, un bon ragoût de haricots blancs avec du thym et des filets de sole.

Vatir grimace et soupire :

– Des haricots blancs et du poisson, beurk! Ça fait une éternité qu'on n'a pas mangé de l'agneau, un bon ragoût d'agneau cuit sur une bonne grosse braise.

– Tu le sais bien. Depuis l'Événement, ce n'est plus possible, dit Lenka.

Elle allume de grosses bougies sur la table et les chandeliers en appliqué sur le mur. Puis, elle ferme les volets et les vantaux de fenêtre.

– Quel événement ? je demande, surprise qu'ils parlent d'un événement.

Auraient-ils connu eux aussi un orage ?

– La famille royale s'est volatilisée, répond-elle.

Devant nos visages curieux, Vatir nous répond :

– Demain, je vais vous montrer l'emplacement du château des centaures. Depuis leur disparation, notre vie est plus facile. J'espère qu'il en sera ainsi pour l'éternité et que nous ne reverrons plus ce château !

– La vie est devenue meilleure si rapidement ? je demande.

– Que voulez-vous dire ? m'interroge Lenka. Ça fait déjà près de sept ans que le château s'est envolé.

– Sept ans ! je m'exclame.

– Eh oui, confirme Vatir.

J'avoue ne pas comprendre. Décidément, ce ne sont pas les mêmes centaures que nous avons connus. Mais une grande angoisse me ronge l'esprit. Je suis sûre que mes parents ont communiqué avec les parents de Simon et de Maxime et qu'à l'heure qu'il est, la police est informée de notre disparition. J'imagine le policier Brière parti à notre recherche et nos parents effectuant une battue avec une trentaine de personnes. Je vois même les jumelles Malphas ricaner et nos trois ex-amies dire : « C'est bien fait pour elles et leurs nouveaux copains. » Brrrrrr !

– Nous sommes en soirée, je soupire.

– Oui, et qu'est-ce que ça a de si bizarre ? interroge Lenka.

– Eh bien, nous ne devrions pas être ici, mais bien… chez nous…. chez nos parents, je pleurniche.

– Eh bien, ce sera pour demain, dit Vatir d'une voix brutale et sans émotion.

Il n'est visiblement pas impressionné par mon chagrin et il jette un regard attendri à son plus jeune enfant.

– Vous savez comment nous pouvons retourner chez nous ? s'enquiert Simon avec des trémolos dans la voix.

– Bien sûr que non. Vous allez repartir de la même façon que vous êtes arrivés, pardi !

– Alors, pourquoi avoir dit que ce serait pour demain ? s'inquiète Maxime.

– En raison des esprits, répond-il, visiblement ennuyé, comme si nous étions censés savoir de quoi il parle. La nuit, il n'est pas bon de traîner dehors, vous savez bien. De vilaines créatures abondent et ne demandent pas mieux que de nous dévorer. Ici, il n'y a pas de problèmes tant et aussi longtemps que les fenêtres sont bien fermées et que quelques bougies restent allumées la nuit. Allez, mangez! Voyez la bonne nourriture que ma bien-aimée a préparée. Mangeons!

Nous obéissons et nous nous assoyons sur des petits bancs. Nos genoux se cognent contre la table trop basse de quelques centimètres. Les nains ont bon appétit, à ce que je vois. Du fromage de chèvre et de grosses miches de pain sont disposés au centre de la table en plus du mijoté et du poisson. Lenka se promène avec une grosse théière fumante et remplit nos gobelets.

Je n'ai qu'une idée en tête : sortir d'ici malgré le fait que la nourriture soit abondante et variée et que j'aie faim. Je crois que les autres pensent comme moi. Les esprits dont Vatir a parlé pourraient bien être une invention pour nous faire peur, comme nos histoires de Bonhomme Sept Heures, mais comment savoir ?

Le repas se prend en silence. Je surprends le regard pénétrant de Maxime. Il ne cesse d'observer le chef comme s'il avait une question à lui poser. Puis, il semble que ce soit plus fort que lui et il ose.

– Vous faites de l'extraction d'or ?

Surpris, Vatir suspend sa cuillère, qui est à quelques millimètres de sa grosse moustache rousse. Il la dépose lentement dans son assiette.

– Oui, bien sûr, et aussi des pierres précieuses, mais… malheureusement, c'est maintenant une chose du passé.

– Mais… pourquoi ? s'intéresse Maxime.

– Parce que… vous savez bien.

– Comment pouvons-nous le savoir ? riposte Maxime.

– PARDI, VOUS ÊTES DES SORCIERS, VOUS LE SAVEZ ! hurle Vatir. L'ÉVÉNEMENT.

– Je vous jure, dis-je pour venir à la défense de Maxime, qui a la larme à l'œil, nous ne savons rien. Nous venons du Canada, planète Terre, galaxie de la Voie lactée.

Cette information le déstabilise. Il prend une gorgée de thé et nous fixe sévèrement.

– Eh bien, chers terriens, nous, les arèsiens, ne sommes pas heureux de vous connaître.

– Teugh ! Teugh ! dit Lenka. Nous ne sommes pas un peuple belliqueux. Alors, mon cher mari, démontre un peu de compassion. Ça ne peut pas nuire. Ils ne sont pas méchants ! Regarde-les !

– Méchants ? Ma femme, que tu peux être crédule. Nous leur avons offert l'hospitalité et nous n'avons pas vérifié leurs bagages.

Oh ! là ! là ! Je sens que les affaires se corsent. Le rouge me monte au visage. Si jamais ils découvrent la pomme d'or, je crois que nous sommes cuits, extra cuits.

– Lui, celui qui a un visage d'ange, dit-il en désignant Maxime, il portait un trident avec des symboles représentant le dieu Neptune. Alors, qu'en dis-tu, ma femme ?

– Tu n'as qu'à leur demander ce qu'ils ont dans leur sac !

– Bien dit, la femme, grogne Vatir de sa voix à faire frémir.

J'ai les genoux qui se cognent. Samara a commencé à enrouler une touffe de cheveux autour de son doigt. Maxime se montre coopératif. Il ouvre son sac et prend un objet tout détrempé. C'est un livre. Je le regarde avec de grands yeux. Jus de betterave ! Pourquoi a-t-il traîné ce livre avec lui ?

– Voilà, moi, je suis passionné par cette histoire, dit-il en le mettant sur la table.

Non, ce n'est pas une blague ! Je reconnais la couverture, c'est le tome 6 de la série Les 5 derniers dragons, le même qu'on avait hier. Par contre, le livre est en plutôt mauvais état. Le chef lorgne l'objet et grogne.

– Un livre ! Et toi ? demande-t-il en fixant ma jumelle.

Elle lâche sa mèche, saisit son sac à dos par une ganse et l'ouvre. Elle sort un tube de carton encore plus amoché que le livre. Il a dû subir un dur coup, puisqu'il est aplati au centre.

– C'est quoi, ça ?

– Une carte, dit-elle en tremblotant.

– Tu veux dire qu'il y a une carte à l'intérieur de ce tube.

– Oui, murmure-t-elle.

– Passe-moi ça !

Elle étire le bras. Elle est trop loin de lui et moi, je suis assise à un banc de lui. Je saisis le tube et le lui passe. De sa main trapue, il l'empoigne. Il regarde à l'intérieur du tube ouvert et y glisse son index boudiné. Il retire un morceau de papier trempé qui se désagrège lors de son extraction du tube. Avec soin, il l'aplatit, ce qui n'était pas la meilleure idée. Elle s'étire et se déchire. Samara étire le cou et, tout comme moi, elle remarque que l'encre du stylo s'est répandue. Le tracé est flou et imprécis. Le château n'est plus qu'une grosse tache grise.

– Une carte ! s'exclame-t-il.

– Ou du moins, c'était une carte, corrige Samara d'un ton larmoyant.

Malgré ses traits burinés et froids, un peu de tendresse transparaît sur son visage. Mes genoux se cognent maintenant de plus en plus vite. J'ai la main sur mon sac. Je m'attends à ce qu'il me demande de l'ouvrir.

– Désolé, ta carte n'existe plus, dit-il en me redonnant l'amas de pâte molle.

– C'est ce que je croyais, hoquette ma sœur tandis qu'elle la plie soigneusement comme un mouchoir mouillé.

Il reprend la dégustation de son ragoût et toute sa famille l'imite. Je patiente. Toujours rien. J'essaie de me raisonner. Est-ce possible ? Il ne me posera pas la question ? J'ai un sac et il n'est pas invisible. Simon me fait signe de manger. Je comprends qu'il vaut mieux ne pas trop attirer l'attention, alors je commence à manger.

Chapitre 10

UNE SOIRÉE INSTRUCTIVE

Lenka sort de nombreux oreillers, de grosses couettes et des matelas souples d'un placard. Nous comprenons que tout le monde dort dans la même pièce et au sol. Les trois enfants bâillent déjà de sommeil.

– Venez, les enfants ! C'est l'heure de faire dodo.

Ils accourent et ne se font pas prier, ce qui est tout à fait le contraire de ma sœur et moi. Vatir pousse sa chaise près du foyer. L'air est un peu frisquet dans la maison. Un genou posé à terre, il y étale une couche de sciure de bois, des copeaux de bois, puis il entrecroise des morceaux de petits bois. Il saisit une allumette du gros pot en fer sur le manteau de la cheminée et la gratte sur une pierre. Après avoir soufflé de toutes ses forces sur le petit halo rouge, le feu est bien pris. Il attend que les flammes soient bien hautes avant d'ajouter une bûche à la fois dans l'âtre.

Quelques crépitements annoncent que le feu est bien parti. Vatir soupire de joie et prend une grosse canisse posée à côté du gros pot de fer. Il en retire le couvercle et le pose à l'envers sur son giron. Il dépose le contenant au sol. Il prend une grosse pincée qu'il dépose soigneusement dans le couvercle inversé. De ses deux mains, il s'amuse à dissocier chacun de ses brins d'herbes coupées très courts. Une senteur que j'associe au tabac se répand dans le salon. Lorsqu'il sort de la poche de sa tunique une pipe de couleur sombre au long tuyau d'ébonite, je souris. Ma déduction était correcte.

Par petites pincées, il bourre sa pipe. Cette activité semble le détendre. Je le vois à sa figure qui s'adoucit. Il est très minutieux. Le fourneau se remplit lentement. Son gros doigt boudiné applique de faibles pressions et s'affaire à ce qu'aucune brindille ne dépasse l'encolure du fourneau. À plusieurs reprises, il ajoute une petite quantité de tabac et le tamponne légèrement. Au bout d'une dizaine de bourrages, il porte sa pipe à sa bouche et fait quelques tests d'aspiration. Un son étouffé nous parvient à chacune de ses inspirations.

Souriant, il saisit une longue tige de bois très fine et effilée et la tient au-dessus de la braise. Elle s'enflamme au bout de quelques secondes. Puis, il la positionne à quelques millimètres du fourneau de sa pipe. Tandis qu'il prend de petites bouffées, la flamme lèche le tabac, qui s'enflamme à son tour. Au bout de plusieurs bouffées, il referme la canisse et la replace sur le manteau du foyer. Il se rassoit, heureux, pendant que les enfants dorment. Sa douce vient près de lui en tenant d'une main une trousse à couture et de l'autre, un panier de vêtements à réparer. Souriante, elle soulève ma salopette rose et commence à recoudre une déchirure. Un moment de bonheur que je ne pensais pas voir. Avoir eu un appareil photographique, je les aurais photographiés, ça, c'est sûr.

– Alors d'où venez-vous, exactement ? demande-t-il en fumant sa pipe.

– De Saint-Parlinpin, je réponds. C'est une petite ville d'au plus 25 000 habitants.

– Oh ! chez nous, ce serait une grosse ville, une mégapole. Et de quoi vivez-vous ?

– Euh... De toutes sortes de choses. Mon père est ébéniste et ma mère est couturière, réponds-je.

– De beaux métiers, dit-il en hochant sa tête. Quoi d'autre ?

– Eh bien, poursuit Samara, il y a aussi des architectes, des médecins, un dentiste, des policiers, des enseignants. De tout, quoi !

– Des policiers, comme nos centaures ?

– Non, euh... je veux dire, il y a des policiers à cheval, mais... pas de centaures, hésite ma sœur. Les policiers ont le même aspect que nous, sauf qu'ils portent un costume distinctif, des armes et un insigne.

– CES CENTAURES ! hurle Vatir. JE NE SUIS PAS CAPABLE DE SENTIR CES CENTAURES !

– Chut ! murmure sa conjointe. Ne t'énerve pas comme ça ! Tu vas réveiller les enfants.

– Pour ma part, dit Simon, je les trouve terrifiants, les centaures. Ils sont grands et un solide coup de sabot de leur part nous enverrait dans le décor, peut-être même au paradis.

– À qui le dis-tu ! répond-il en tirant sur sa pipe. Ils sont encore plus impressionnants pour nous qui sommes des nains. On ne peut rien contre eux. Ils sont plus nombreux et plus forts que nous. Et en plus, ils ont des robots.

– Mais d'où viennent ces robots ? demande Maxime.

– Ça, c'est une longue histoire. Il y a un peu plus de 200 ans, ce pays s'appelait Mervick et nous occupions tout le territoire. Les centaures, les licornes et les pégases étaient très minoritaires. Puis, de riches marchands venus par bateaux aériens ont atterri sur nos terres.

Des milliers de robots ont parcouru le territoire. Au tout début, nous ne les avons pas pris trop en considération, puisque nous travaillions dans des mines, mais lorsqu'ils ont commencé à abattre les arbres, toute la faune s'est sentie menacée, surtout les licornes. Elles sont tellement discrètes et si jolies, soupire-t-il avant de poursuivre. La déforestation s'est faite si rapidement que nous n'avons pas eu le temps de réagir. Tout ce qu'on a su, c'est qu'il n'y avait plus un arbre et qu'à chaque pluie, nous perdions davantage de terrain, au point où nos lieux de travail ont disparu, emporté par l'eau. Notre population s'est réduite de beaucoup, faute de territoire. Depuis cette déforestation, nous sommes confinés sur une parcelle de terre qui s'appelle la presqu'île de Mervick.

» Maintenant, ajoute-t-il en poussant un énorme soupir et en tirant une longue bouffée de sa pipe, le reste du pays s'appelle le Hautcentaure, et une mince rivière nous sépare d'eux.

» Fort heureusement, les chevaux n'aiment pas l'eau. Un beau matin, le gros navire est reparti comme il était arrivé, par la voie des airs, et nous ne l'avons plus jamais revu.

– Mais les bateaux ne volent pas dans les airs ! s'exclame Maxime.

– Eh bien, celui-là, oui. Bien sûr, il n'avait ni rame, ni voile, seulement de grosses turbines qui propulsaient de l'air.

– Et pourquoi y a-t-il encore des robots sur le territoire ? demande notre ami Maxime.

– Une question très pertinente. En partant, ils nous ont laissé leurs détritus, dont 20 robots qui ne fonctionnaient plus. Mais les centaures Mryneus et Eryneus ont su comment les remettre en état. Mryneus est un excellent horloger et Eryneus a du doigté pour les travaux de la forge. Il a refait certaines pièces endommagées ou rouillées. Depuis ce temps, au lieu d'extraire de l'or, de créer des bijoux et des talismans pour nos dieux et nos héros, nous sommes condamnés à transporter du foin provenant de l'autre côté des montagnes.

– Pourquoi ? Il me semble qu'il y a assez d'herbes hautes sur le territoire ! dis-je.

– En effet, mais elles sont de moins bonne qualité que celles venant d'Oli. C'est un très beau pays. Là-bas, il y a des bêtes fantastiques, de magnifiques forêts et toute notre parenté. Nous sommes condamnés à rester sur ces terres érodées et habitées par des centaures, des pégases et des licornes.

– J'ai remarqué que les robots ne se pliaient pas, lui dis-je. Il suffirait de créer un piège pour qu'ils tombent, comme une corde tendue.

– Il suffirait de créer une diversion, s'enthousiasme Maxime.

– On a bien failli réussir une fois, mais l'arme intégrée dans leur main droite a tué de nombreux compatriotes. Oubliez ça ! Allez ! Dormez ! Pendant que je finis de fumer et que ma femme répare vos vêtements.

– Merci, madame ! lui dis-je.

– C'est gentil, belle demoiselle. Dormez bien ! Demain, il nous faudra nous lever tôt.

Chapitre 11

UN RETOUR DIFFICILE

– Nos mères doivent drôlement s'inquiéter, je chuchote. Ça fait une journée que nous ne sommes pas rentrés chez nous. Il faut que nous revenions avant que la police soit à nos trousses et que nos parents nous défendent de sortir.

Nous sommes tous couchés par terre dans le grand salon et une seule bougie est restée allumée. Je repense à l'histoire des mauvais esprits. Partout dans la maison, je vois des ombres fugitives et je me demande s'il s'agit de mauvais esprits, d'ombres ou juste de mon imagination. Je tremble.

Les enfants, ainsi que Vatir et Lenka, dorment. Ma sœur et mes amis ont les yeux grands ouverts. J'ai peine à croire que ce n'est pas un cauchemar. Tout ça pour une pomme d'or que je suis censée remettre aux centaures qui n'existent peut-être même plus.

– Tu as raison, murmure ma sœur, il faut faire quelque chose.

– Le pire, c'est que je n'ai même pas pris une roche.

– J'ai mon trident, dit Maxime.

– C'est notre seule chance, je crois bien, je murmure.

Vatir pousse un gros grognement avant de se retourner sur son matelas. Nous cessons de parler. Simon est le premier à briser le silence au bout d'un moment.

– Demain, nous essaierons avec le trident, suggère Simon. On doit cesser de placoter. Ils vont nous dire de nous taire si jamais on réveille leurs enfants.

– Tu as raison, dis-je. Demain, dès que nous en aurons la chance, nous essaierons de rentrer chez nous. Je me croise les doigts pour que mes parents ne soient pas morts d'angoisse.

– Moi aussi, chuchote Maxime.

Au petit matin, une bonne odeur de lait chocolaté et de brioches envahit toute la maisonnée. Je m'étonne de m'être endormie et je m'étire. Toutes les fenêtres sont ouvertes et l'air frais du matin me tonifie. Devant nous sont déposés nos vêtements bien réparés et bien repassés. Ils sont comme neufs. Ils sentent même la lavande. Je calcule que ça doit faire un bon deux heures qu'ils sont réveillés.

– Merci, madame, pour nos vêtements. Ils sont tout propres et sentent bon, dis-je.

Enchantée, je m'habille rapidement sous la couverture. Ma sœur et mes copains font de même. Les jeunes, assis sagement à la table en nous attendant, rient de nous voir nous habiller de cette façon.

– Vous auriez pu aller à la salle de bain, rigole Lenka.

– C'est plus rapide comme ça, je réponds en me relevant et en réajustant ma salopette courte.

– Je vois ça, sourit Lenka près du fourneau en nous voyant tout habillés presque en même temps.

Elle fait cuire dans sa grosse poêle de fonte du pain perdu et l'odeur est merveilleuse. Vatir est de bonne humeur et il nous convie à prendre le déjeuner avec eux. La dame nous avise que les robots se mettront en œuvre d'ici une heure et qu'il faut se dépêcher pour se laver le visage et manger.

– Mais qui les a programmés ? demande Maxime en buvant son lait au chocolat chaud.

– Ça, mon garçon, répond Vatir, c'est Mryneus. Il a un don. Il les a reprogrammés pour une nouvelle tâche, la tâche ingrate que nous avons à faire maintenant. Tout ce qu'on sait, c'est que maintenant, il ne reste que 5 robots opérationnels. Les autres ont cessé de fonctionner. Depuis que les centaures ailés ont disparu, les cinq cousins du roi, c'est la paix! Euh... enfin, une sorte de paix!

– Quand ont-ils disparu? que je demande.

– Il y a sept ans, répond Vatir. Sept ans de chance.

– Sept ans! répète incrédule Samara. Ça fait un bon bout de temps.

– Eh oui, la famille royale et le château ont disparu à ce moment-là! Il ne reste que la base du bâtiment.

– Vous voulez dire que le château s'est volatilisé? s'étonne à son tour Simon.

– Oui, le château s'est volatilisé, ainsi que la royauté, s'ahurit Vatir devant notre insistance. Depuis ce jour, tout va pour le mieux.

– Y avait-il une jeune princesse du nom d'Adeline? demande ma sœur.

– Oui! dit Lenka, abasourdie.

– Hum... vous êtes vraiment des sorciers, marmonne Vatir. Et les sorciers ne sont pas les bienvenus ici. On dit que les sorcières les plus puissantes, ce sont les sorcières jumelles. J'ai justement devant moi des sorcières jumelles, identiques par-dessus le marché.

– Je vous le jure que nous ne connaissons rien de la sorcellerie, dis-je d'une voix tremblotante. Nous venons de la planète Terre. Dans notre pays, les sorciers sont des personnages créés pour faire peur aux enfants. Ils n'existent tout simplement pas chez nous.

– C'est que vous croyez, se fâche Vatir. Les terriens sont les pires.

Bon, je crois que je ferais mieux de me taire. J'ai des larmes qui me montent aux yeux. Il a tout à fait la même réaction explosive et spontanée, que ce soit contre nous ou contre les centaures.

– Est-ce qu'on pourrait voir… hum… si ça ne vous dérange pas trop, l'emplacement du château de la famille royale ? demande timidement Samara.

Je l'admire. Elle a parfaitement raison. Si nous voulons restaurer la famille royale dans son lieu d'origine, il nous faut connaître les lieux. « Cool ! » je me dis.

– Eh bien, si vous finissez vite votre déjeuner, vous pourrez admirer les lieux avant notre départ, dit-il sarcastiquement. Vous n'aurez pas trop le temps de l'admirer, car nous avons du travail à faire et vous devez partir.

J'ai oublié qu'il fallait retraverser la rivière. Je suis même tombée en glissant sur une pierre recouverte d'algues. Sans le vouloir, j'ai attrapé le t-shirt de Maxime et je l'ai entraîné dans l'eau. Il m'a fait une face de singe, pas très heureux d'être trempé jusqu'au bout des cheveux. Je veux dire qu'il a grimacé, bien sûr, et pas que sa figure s'est métamorphosée à nouveau en face de singe. Même avec les cheveux mouillés, il est mignon.

Nous gravissons une colline et, à son sommet, je vois au loin la base du château. Elle est située au haut d'un escarpement rocheux abrupt dominant la mer à au moins trois kilomètres. Curieusement, il me fait penser au pic du Corbeau, mais en beaucoup plus impressionnant. De l'eau l'entoure sur 75 % de son périmètre, tout comme notre pic du Corbeau.

Un peu plus loin, une maigre forêt s'étend sur quelques kilomètres. Des pins de faibles envergures et quelques feuillus effeuillés composent le paysage, une description très différente de celle énoncée par le roi Thaumas lors de notre première excursion dans la carte moche de ma sœur.

– C'est ça ? je m'étonne.

– Ben oui, dit Vatir, à quoi vous attendiez-vous ?

– À des arbres immenses, à de beaux vergers, de belles habitations en pierre, de jolies choses, dis-je.

– Eh bien, rit Vatir entouré de ses compagnons qui rient autant que lui, vous en avez de l'imagination. Ici, le vent balaie la terre continuellement et les pluies diluviennes qu'on reçoit fréquemment appauvrissent et érodent le sol, et ça depuis des centaines d'années.

– Il faut planter plus d'arbres, dit Samara.

Les nains se mettent à rire très fort et se bidonnent.

– Elle est bien bonne, celle-là, comme si nous n'y avions pas pensé, finit par dire Vatir. Le vent tourbillonne si fort que seuls les arbres situés près de nos logements et en montagne réussissent à grandir. Ici, c'est le territoire du sable, des roches et des herbes. Lorsque le vent est fort, nous avons des tempêtes de sable qui peuvent durer des jours et des jours et qui arrachent les moindres pousses d'arbres.

Nous sommes perplexes et nous nous regardons. La carte de Samara n'était donc pas si fausse. J'en ai mal à la tête à force d'essayer de comprendre toutes ces notions. Un genre de son ressemblant à un cor anglais retentit au loin. Les nains grognent et se retournent.

– Désolés, nous devons aller travailler. Éloignez-vous d'ici ! Bien que les pégases et les licornes se cachent dans les forêts en montagne, il y a quelques centaures cachés dans ces maigres forêts. Si j'étais vous, je retournerais chez moi au plus vite.

Ils partent sans nous dire au revoir ni bonne chance. Nous les suivons en dévalant une butte rocheuse. Le hangar se dresse devant nous. Trois robots les attendent et pointent leurs bras droits armés vers eux.

– Mais qu'est-ce que vous faites ? Il ne fallait pas nous suivre. Vite ! Baissez-vous et cachez-vous derrière ces rochers ! insiste Vatir en désignant un endroit un peu à l'écart. Nous allons faire un léger détour pour les distraire, alors restez là et surtout ne vous montrez pas ! D'accord ?

– Oui, nous répondons tous presque en même temps.

Habilement, il conduit sa troupe vers un à-pic et sautille agilement sur le haut de cet abrupt. Les autres font de même et nous nous retrouvons seuls derrière la paroi rocheuse. Il s'arrête et se retourne.

– Disparaissez avant qu'on vous repère, répète-t-il en reniflant par petits coups l'air. Je sens le mauvais temps s'en venir. Faites vite, ça sent comme une bonne et grosse tempête !

Ils dévalent rapidement la pente abrupte. C'est bien beau vouloir retourner chez nous, mais encore faut-il avoir un objet original de notre lieu natal pour nous le permettre. Nous avons quitté tellement vite le parc Naïades que je n'ai pas pensé à prendre une pierre.

– Qu'est-ce qu'on fait ? Je n'ai que la pomme d'or.

Samara sort les restes de la carte pliée et encore molle. En l'ouvrant, elle constate qu'elle se déchire à la moindre pression.

– Et moi, ma carte ne vaut rien, dit-elle.

– Et toi, Simon ? je demande.

– Je n'ai rien.

– Et toi, Maxime ?

– J'ai le trident. Est-ce un objet qui peut nous ramener sur la terre ?

– On le saura en l'essayant, je lui réponds. Comme tu sembles avoir le pouvoir de nous sortir de là, essaie !

– D'accord ! J'essaie.

Chacun pose une main sur l'objet et ferme les yeux. Je sens Maxime prendre une grande respiration avant de se concentrer. D'une voix profonde, il prononce la même incantation faisant appel aux éléments :

Feu rayonnant et chaud
Terre solide et nourricière
Air pur et vivifiant
Eau purificatrice et source de vie
Conduis-nous à notre lieu originel,
notre nid familial.

J'ai la nette impression que rien ne se passe. J'ouvre les yeux et... nous sommes toujours au même endroit. Une grande angoisse m'envahit et je sens que c'est aussi le cas de mes camarades.

– OK. On ne s'énerve pas. Maxime, tu recommences, dis-je d'un ton qui me semble calme.

Je sens de la nervosité chez lui. Il réessaie, en vain. Nous n'avons pas bougé d'une brindille. La panique s'empare réellement de nous. Samara commence à jouer avec une mèche de cheveux et Simon a une respiration saccadée.

– Ce trident n'est d'aucune utilité, je conclus, du moins pour nous ramener chez nous. J'ai bien l'impression que cet objet n'est pas assez authentique pour être décrété comme un produit terrien. Je vais chercher dans mon sac si je n'ai pas une petite chose pouvant nous relier à chez nous.

J'ouvre mon sac à bandoulière à la recherche du moindre petit objet à l'intérieur.

– Ça, est-ce que ça pourrait faire l'affaire ? me demande Maxime après avoir regardé dans son sac.

Je lève les yeux. Eh oui, c'est encore son livre titré *La Cité de glace*. Je le regarde, totalement ahurie, et j'ai bien envie d'exploser. Étant donné la présence des robots, je lui chuchote :

– Mais pourquoi tu traînes ce livre embarrassant dans ton sac ?

– Parce qu'il ne me restait que deux chapitres à lire.

– T'es malade ou quoi ?

– Pas tant que ça, pleurniche-t-il. Malheureusement, je crois que je ne pourrai pas le terminer ; il est dans un terrible état, dit-il en le feuilletant délicatement.

– Ouain, dis-je en m'adoucissant et en montrant de la compassion pour lui, il est tout trempé et les pages sont drôlement gondolées. Qu'est-ce qu'on fait ?

– Ben, on essaie, répond Simon.

– Tu veux dire avec ce livre ? murmure Samara, étonnée.

– Ben oui !

Nous posons nos mains sur le livre et nous nous concentrons. Maxime prononce son incantation et... il ne se passe rien. Doublement surprise, je me demande si nous ne sommes pas coincés ici pour l'éternité. J'en ai la chair de poule.

– Jus de betterave ! On est coincés ici !

– Ça m'en a tout l'air, répond Simon.

– Attends, attends ! s'écrie Samara. Il doit avoir quelque chose qui interfère avec notre retour.

Elle prend l'objet et l'examine.

– On ne peut pas dire qu'il soit dans son état original. L'eau d'ici l'a contaminé.

– Et alors ? je demande.

– Je veux dire l'eau de ce pays.

J'ouvre grand mes yeux et ma petite lumière de 2 watts s'allume.

– Bien sûr que oui, il faudrait le restaurer dans son état original. Mais comment ? je m'interroge.

Je suis tellement perplexe et en même temps convaincue que la solution est dans cette affirmation que je cherche déjà une solution. Moi, je sais que j'ai le pouvoir de transformer les objets et que Simon peut créer des éclairs de feu. Or, l'eau n'aime pas le feu.

– Simon, serais-tu capable d'assécher le livre sans l'incendier ?

– Ben, je ne sais pas. Il faut juste que j'essaie.

Il tend la main et il réussit à émettre une douce brise chaude. Il maintient cette chaleur au même niveau et le livre s'assèche. Les feuilles se tordent en séchant. Lorsque Simon a complété sa manœuvre, le livre est sec, mais deux fois plus épais qu'à l'origine. Chaque page est tordue. Malgré ce fait, nous nous essayons à nouveau. Maxime se concentre et récite son incantation. Encore une fois, la magie n'opère pas. La panique revient, mais je ne veux surtout pas me laisser envahir par ce sentiment paralysant. Une idée me vient et je leur dis :

– Le livre est trop abîmé, je crois.

– Qu'est-ce que tu as en tête ? demande Samara.

– Hum... Essayer de le remettre comme avant !

– Alors, essaie ! dit Maxime. Surtout que le temps se prépare à être mauvais.

Le ciel a désormais une teinte inquiétante et des grondements sourds se font entendre. De lourds nuages noirs entourés de halos violacés noircissent le ciel et indiquent la venue d'une sorte d'orage que nous ne connaissons pas. Simon se lève et inspecte les lieux.

– Plus aucun nain dans les parages. J'imagine qu'ils sont partis au boulot et que les trois robots sont dans leurs alcôves. Je me demande bien ce que Vatir a bien voulu dire lorsqu'il a dit de partir avant que le temps devienne mauvais.

Les halos s'intensifient et des boules violettes tombent en claquant au sol. Elles explosent au contact de la terre et disparaissent. Elles tombent en quantité négligeable et à de grandes distances, mais je sens que c'est sur le point de changer. La cadence semble s'amplifier et la distance diminue chaque seconde.

– Vite, crie Maxime.

– Oui… oui…

Je ferme les yeux et aïe, je reçois une de ces boules sur mon bras gauche. Ça fait terriblement mal et j'en reçois une autre sur la jambe. Les autres aussi crient. Lorsque l'une des boules me tombe directement sur la tête, je hurle de colère. Je mets ma main dans mes cheveux et je constate avec horreur qu'un peu de sang s'y trouve.

– Concentre-toi, Saléna, crie Maxime.

On se tasse contre la paroi rocheuse autant que possible et je ferme les yeux. Je tiens fermement le livre d'une main et ma main droite s'élève au-dessus de mon épaule pour pointer le bouquin.

– Tome 6 des 5 derniers dragons, redeviens comme tu étais avant notre départ de la Terre, du joli boisé des Naïades.

Je sens le bout de mes doigts chauffer et une boule de lumière en sortir. Le livre sous ma main s'amincit et les pages s'aplanissent. Sans attendre davantage, Maxime pose ses mains sur le livre et prononce à la vitesse de l'éclair son incantation.

Des bras s'accrochent au mien et moi, je m'accroche à Maxime. Nos corps se collent au récif rocheux, puis je sens mon corps se liquéfier. Je ne suis plus qu'un mince filet d'eau. Je me sens comme si j'étais injectée dans une fine veine de la paroi rocheuse. L'air est glacial et sans lumière. La traversée est aussi pénible que la veille et je souhaite que nous nous en sortions idem.

Chapitre 12

UNE ABSENCE REMARQUÉE ?

J'ai l'impression de passer de l'état liquide à l'état solide et d'émerger du sol comme une nouvelle plante grandissant à vue d'œil. J'ai les cheveux, les oreilles, la bouche et les yeux pleins de terre. C'est affreux. Mais au moins, je me rends compte que je suis de nouveau à Saint-Parlinpin avec mes amis et ma sœur.

Je tousse et je n'ai qu'une idée en tête : me lancer dans l'eau de la rivière. De peine et de misère, je me rends à la rivière et de là, je plonge ma tête dans l'eau. Le bienfait est total sauf à l'endroit précis sur ma caboche où j'ai reçu un projectile. J'examine mes bras et mes jambes. J'ai deux belles ecchymoses. Mes vêtements sont trempés et dans un état pitoyable. Malgré tout, je sens l'odeur de la lavande et je revois la gentille dame, Lenka. Mais, par-dessus tout, je crains la fureur de ma mère, et surtout qu'elle me défende de sortir de la maison à tout jamais.

Ma sœur, qui se relève après s'être nettoyé le visage, a un beau bleu sur la joue. Simon a lui aussi deux bleus sur le même bras et un sur une jambe. Maxime s'en est sorti miraculeusement indemne.

– Chanceux ! lui dis-je.

– Oui, mais on a bien failli être lapidés par ces pierres, dit-il en reprenant son livre, que j'avais laissé tomber au sol.

En le plaçant dans son sac, il s'écrie :

– Sac à puces ! Regardez !

Il sort une de ces boules violettes qui tombaient sur nous. Elle a la dimension d'un œuf de caille. À la lumière du jour, nous apprécions la transparence de cette pierre.

– Mais, mais, mais… je bégaie, c'est une a… a… améthyste !

– Tu crois ? dit ma sœur.

– J'en suis sûre. Avoir su, j'aurais essayé d'attraper celles qui m'ont fait ces belles ecchymoses avant qu'elles n'explosent.

– Qu'est-ce que je fais ? demande-t-il.

– Garde-la ! je lui réponds. Par une sorte de phénomène que je ne peux expliquer, elle semble t'être destinée. C'est une sacrée belle pierre, en tout cas. Tu as un beau trident en argent, une améthyste, et moi, j'ai une pomme d'or. J'ai comme l'impression que les cieux nous ont choisis pour une mission, même si je ne suis pas sûre de quel type de mission il s'agit. Par contre, je crois que ce sont des présents nécessaires pour l'accomplir.

– Moi aussi, dit Simon. Je fais des rêves des plus étranges depuis notre foudroiement.

– Quels rêves ? je demande.

L'orage gronde et un éclair sillonne le ciel.

– Bon, je crois que nous n'avons pas le temps d'en discuter, je conclus. La pluie va commencer à tomber. Au moins, ici, il s'agit de gouttelettes d'eau.

Les autres approuvent de la tête et nous quittons les lieux pour nous diriger vers nos demeures respectives avec la nette impression que la réception ne sera pas des plus agréables, surtout après une nuit et une journée d'absence.

Il pleut maintenant abondamment. Maxime est le premier à nous abandonner. Nous l'embrassons et nous lui souhaitons bonne chance.

– N'oublie pas, envoie-nous un courriel ! je lui dis.

Lorsque nous arrivons près du terrain des Marceau, nos cœurs se serrent. Samara lui fait une chaude accolade. Moi, je lui glisse un bisou sur chaque joue. Puis, nous atteignons notre maison et nous nous attendons à toute une réprimande de la part de notre mère.

L'orage a pris de l'ampleur. Elle est justement dehors et court pour rentrer son tricot et son panier de laine encore à l'extérieur. Trop préoccupée, elle crie à notre passage :

– Vite, les filles, rentrez, ça va tomber !

Wow ! Elle ne semble pas avoir remarqué que nos vêtements sont en piteux état et, surtout, elle ne nous reproche pas notre longue absence. Nous rentrons. Chacune notre tour, nous prenons une douche rapide et nous nous changeons. Samara descend à vive allure avec nos vêtements sales et part un lavage. Par chance, notre mère est encore dehors. Elle renverse les chaises de parterre pour éviter que de l'eau stagne sur les sièges et dépose quelques plantes délicates sur le plancher de la grande véranda de derrière. Lorsqu'elle pénètre dans la cuisine, nous sommes étincelantes de propreté et nous affichons notre plus beau sourire.

– Salut, m'an ! disons-nous en chœur.

– Salut, les filles, répond-elle en nous fixant d'un drôle d'air.

– Pas trop fâchée que nous ayons été aussi longtemps absentes ?

– Non ! Vous vous êtes absentées à peine une bonne heure, pourquoi ?

– Hein ? crions-nous en chœur.

– Quoi ?

– M'an ! Quel jour sommes-nous ?

– Jeudi.

– Jeudi, comme jeudi le 25 ? je lui dis.

– Ben oui, pourquoi cette question ?

Je sens le sang descendre dans mes pieds.

– Mais qu'avez-vous ? Vous êtes toutes blanches. Et toi, Samara, tu as une ecchymose sur la joue.

– Ah, ça ? Ce n'est rien. Je suis tombée sur une roche pointue.

– Et toi, Saléna, un bleu sur ton bras et sur ta jambe, constate-t-elle, tout étonnée.

Une chance qu'elle ne voit pas sous mon épaisse chevelure la coupure au sommet de ma tête.

– Même chose que ma sœur. En courant, nous sommes tombées. La pluie est arrivée si soudainement.

Elle regarde dehors.

– Quel vent ! J'ai quelques commissions à faire. Qu'est-ce que vous voulez manger pour souper ?

Ouf ! Elle ne s'attarde pas à nos blessures. Elle vient de changer de sujet. Je suis vraiment contente et étonnée.

– Je n'ai pas très faim. Rien de trop compliqué, dis-je.

– D'accord ! Justement, j'avais en tête un sauté à la chinoise. Est-ce que ça ira ?

Nous hochons la tête avec vigueur. Elle grimace.

– Je sens que vous manigancez quelque chose quand vous approuvez si vite…

– Non, maman ! nous répondons à l'unisson.

– Disons ! soupire-t-elle. Je reviens dans 30 minutes, dit-elle en regardant sa montre. Soyez sages et ne faites aucune bêtise !

Aussitôt que la porte se referme et que nous entendons la voiture partir, nous nous précipitons dans notre chambre et j'ouvre notre ordinateur commun.

– Allez, allez ! Plus vite que ça ! je m'énerve.

Jus de betterave que c'est long avant que l'ordinateur ait fini de faire ses simagrées et qu'on puisse accéder à nos courriels. Voilà ! Enfin !

SalenaBelle@courriel.com
À : Simon Marceau, Maxime Deschamps.

Nous sommes encore jeudi. Il ne s'est passé qu'une demi-heure, tout au plus une heure. Je n'y comprends rien.

Saléna

J'attends la réponse et, en attendant, j'accède à un moteur de recherche et j'inscris dans la ligne de recherche : Améthyste. Une ligne attire mon attention et je la prends en note. Je retourne à mon courriel. Maxime a déjà répondu.

Maximedeschamps123@courriel.com
À : Simon Marceau, Saléna Bellerive

Oui, je viens de noter la même chose. C'est mémé qui me l'a dit. Ma mère est absente. Elle est chez ma tante qui était censée accoucher la semaine dernière.

Retour douloureux. Content d'être chez moi. Quoi de neuf?

Maxime

Puis, ce fut au tour de Simon de répondre.

Simonleterrible@courriel.com
À : Maxime Deschamps, Saléna Bellerive

Ma mère m'a fait tout un accueil. Elle m'a traité de tous les noms parce que mes vêtements étaient sales. Elle a fini par se calmer.

Et oui, moi aussi, j'ai appris que nous étions toujours jeudi. WOW !

J'ai déjà hâte d'y retourner, même si j'ai eu la frousse de ne pas être capable de revenir.

Simon

Ma sœur est près de moi et nous lisons le courriel en même temps.

– Incroyable, ce Simon, s'exclame ma jumelle. Il a vraiment le goût de l'aventure. Plus que nous.

– Ouain, je soupire. Il va falloir ralentir ses ardeurs.

Je tape un autre courriel.

SalenaBelle@courriel.com
À : Simon Marceau, Maxime Deschamps.

Je viens de lire sur le Web que l'améthyste est une pierre ayant des pouvoirs de transmutation. Je crois qu'elle nous a aidés à revenir sur Terre, mais je n'en suis pas sûre. J'ai eu l'impression de passer dans un état liquide. Et vous ?

Saléna

La réponse de Simon ne tarde pas.

Simonleterrible@courriel.com
À : Maxime Deschamps, Saléna Bellerive

Moi aussi. Trop cool !

Simon

– Ouain, il est vraiment trop *hot*, ce Simon, disons-nous ensemble.

SalenaBelle@courriel.com
À : Simon Marceau, Maxime Deschamps.

Demain, après le déjeuner, nous tiendrons une séance de récapitulation. D'ac ?

Saléna

Une minute plus tard, ils me répondent et nous nous entendons pour nous retrouver à 8 h, chez Simon.

Chapitre 13

MYSTÈRE DES JALAPEÑOS ET AUTRE CHOSE

– Je me demande bien ce qui se passe, demande ma mère en rentrant dans la maison avec son panier en osier. Les jalapeños disparaissent à vue d'œil. Je n'en aurai jamais assez pour faire mes gelées, ni pour les jalapeños farcis au cheddar que je prévoyais faire ce soir. J'en surveillais trois, trois beaux piments qui grossissaient très bien. Ils commençaient à peine à rougir. J'ai besoin d'à peu près une dizaine de piments rouges pour faire ma gelée, tu sais bien, ma gelée du temps des Fêtes. VOYONS ! PHILIPPE ! JE TE PARLE !

Nous sommes tous assis autour de la table et notre père a repris sa vieille habitude d'avant l'Événement, à savoir lire le journal en mangeant. Une habitude qui fait hurler ma mère. Doublement, cette fois-ci, puisqu'elle a besoin de son attention. Je veux dire de toute son attention et immédiatement.

– Quoi ? dit mon père en abaissant légèrement la section des sports.

Oh ! Oh ! L'insulte suprême. Il ne l'écoutait pas.

– Je disais que les jalapeños disparaissent.

Nous sommes là et nous n'osons pas lui avouer que c'est à cause de nous. Allez ! Mon beau papa d'amour ! Dis quelque chose !

– Disparaissent… répète-t-il en fermant son journal.

– Oui, ils disparaissent. Chaque année, je fais ma belle gelée de jalapeños rouges. Coudonc, Philippe ! Tu sais bien, ma gelée de jalapeños !

– Bien sûr, et ?

– Eh bien, cette année, mission impossible ! Les jalapeños disparaissent.

– Ouain, c'est ennuyeux, ça ! Je parie que ça doit être la faute des écureuils.

Oh ! oh ! Tu es génial, p'pa ! Je voudrais bien t'embrasser pour te remercier de cette trouvaille, mais je ne peux pas. Elle devinerait tout de suite que ma sœur et moi sommes les coupables de ce vol de piments forts.

– Ben non, Philippe ! Les écureuils ne mangent pas les piments forts, répond-elle en soupirant.

Oups ! Ça sent la controverse. Maman a raison. Ce ne sont pas les écureuils qui les mangent, mais nous, je me dis. Ce ne sera pas long avant qu'elle découvre le pot aux roses ainsi que les vrais coupables. Oh ! là ! là !

– Je sais bien, Mel, mais ils aiment les arracher et jouer avec. L'année passée, ils ont bien dévasté tes plates-bandes de crocus et de tulipes.

– Ouain, soupire ma mère. Tu as un point, là. Qu'est-ce qu'on fait ?

– T'en fais pas, ma belle ! Ce soir, je vais installer des filets. Ils ne pourront plus attaquer tes beaux chilis.

J'aime ça quand mon père lui dit des mots si gentils. Ma mère se calme et on passe à autre chose, sauf qu'à partir de maintenant, il va falloir y aller mollo sur les piments. Il va falloir trouver un plan B pour que le club Salsa puisse se ravitailler en piments.

– Et puis, les filles, qu'est-ce que vous pensez faire aujourd'hui ? nous demande notre mère.

– Eh bien, on ne sait pas trop, je réponds. Comme il fait beau, on pensait peut-être aller au pic du Corbeau avec nos amis.

– Avec Gabrielle, Marie-Pier et Charline ?

– Non, plutôt avec Simon et Maxime.

– Mais dites-moi donc, qu'est-ce qui se passe avec vos amies ? demande-t-elle en se versant une tasse de café. Vous vous êtes disputées ? Vous ne passez plus de temps ensemble.

– Non, maman, répond ma sœur.

– Pourquoi vous n'êtes plus amies avec elles, soudainement ? C'est la mère de Marie-Pier qui m'en a parlé, hier matin.

Il me semblait, aussi, que la petite fouineuse ne pourrait s'empêcher d'en parler à sa mère.

– On n'en sait trop rien, commente diplomatiquement Samara.

Sous la table, je branle une jambe comme à toutes les fois que je suis nerveuse. Une question me chicote. Depuis le foudroiement, il semble que nos parents ont remarqué notre nouvelle amitié avec les gars, mais pas que j'ai un pouvoir de transformation. Nos ex-amies et les anciens amis de Simon et Maxime le mentionnent souvent et me traitent de sorcière. Connaissent-ils mes pouvoirs, ceux de ma sœur et ceux de Simon ? Il faut que je sache la vérité. Je plonge.

– Est-ce que la mère de Marie-Pier a parlé de quelque chose d'autre ?

– Non, juste qu'elle regrette de ne plus vous voir chez elle. Elle trouve que vous aviez une belle énergie et… elle n'apprécie pas… apparemment… la compagnie de…

Ah, ma mère ! Des fois, elle tourne autour du pot longtemps. Va-t-elle finir ses explications ? Oui ou non ? Raconte-t-on que j'ai des pouvoirs ?

– Enfin... la compagnie des nouvelles jumelles du quartier. Il paraît qu'elles sont particulières. Les Wolff pratiquent une religion et je suis d'accord avec la mère de Marie-Pier. Je ne suis pas sûre que ce soit très convenable, cette pratique de la Wicca.

Mon père, qui a la tête enfoncée dans le journal et qui n'écoute pas vraiment la conversation, descend subitement le journal et dresse une oreille attentive.

– Qu'est-ce que tu veux dire, Mélanie ?

– Rien, rien, dit-elle en prenant une gorgée de café.

– Je sais où tu veux en venir. Depuis quelques jours, tu tournes autour du pot.

Je souris. Mon père a peut-être la même vision que moi, un pot contenant une élégante et surprenante amaryllis. Ces fleurs sont d'une beauté incroyable, comme les roses aux mille pétales et aux senteurs divines de notre quartier. C'est pourquoi je suis toujours attirée par les fleurs et je m'étonne de la magnificence de ces splendeurs aux pétales délicats. Immanquablement, j'ai été séduite par ce mystérieux sapin rose aux fleurs de pommier. J'en ai senti une. Je me souviens de son odeur légèrement sucrée et épicée avant qu'elle ne se transforme en pomme d'or. J'imagine que la pétillante voisine, Sybille Wolff, a le même attrait pour mon père que ces fleurs pour moi.

– Quoi ? s'écrie ma mère en colère.

Je sursaute. Mes rêveries éclatent en mille éclats de verre.

– Tu n'arrêtes pas de me dire que les Wolff sont des sorciers.

Wow ! Ce sont donc des sorciers comme j'avais prédit. Je n'en reviens pas ! Des sorciers ! Des authentiques sorciers !

– Ce sont de vrais sorciers ? je m'extasie.

– Je n'en sais rien, dit ma mère. J'ai juste dit à votre père que je crois qu'ils pratiquent le Wicca, c'est tout ! Je n'ai pas parlé de sorcellerie.

– Peuh ! soupire mon père.

– Qu'est-ce que c'est ? demande ma sœur.

– C'est, d'après ce que je sais, une ancienne religion païenne qui remonte à une époque d'avant la religion catholique, répond ma mère. Mais... je me dis que... ce qu'on ne connaît pas ne devrait pas nous faire peur.

– Et pourtant, ricane mon père, on peut dire que c'est le contraire chez toi.

– Ça suffit, larmoie ma mère. Il est plus que temps que tu retournes au travail.

– Oh ! Salipopette ! Il faut que je m'en aille, dit-il en regardant sa montre.

Il est sur le point de l'embrasser avant de partir lorsque ma mère se tourne le visage pour ne pas recevoir ce baiser. Malgré le fait que je sois peinée par leur dispute matinale, je soupire de satisfaction. Il semble que ma mère et les autres n'ont aucune idée de mes pouvoirs de transformation, des cartes magiques de ma sœur, des jets de feu que lance Simon et du mystérieux pouvoir de Maxime de nous ramener à notre point de départ. C'est parfait! Ben non, ce n'est pas parfait. Je n'aime pas quand ils se disputent. Sniff!

Chapitre 14

RÉCAPITULATION

– Désolée, les gars, j'ai apporté les quatre derniers piments à vie de notre jardin, dis-je en m'assoyant à la table de pique-nique des Marceau.

– Qu'est-ce que tu veux dire ? demande Simon.

– Ouain, je soupire. C'est à cause de ma mère. Depuis quelque temps, elle compte les piments sur les plants et elle trouve qu'ils disparaissent trop rapidement. Par chance, mon père pense que ce sont les écureuils qui s'amusent à les arracher. Alors, il va falloir se calmer parce que ma mère va se douter que ce ne sont pas les gentils petits écureuils du jardin qui les font disparaître, mais plutôt nous.

– Ben, c'est facile à résoudre, dit Maxime. J'ai remarqué qu'à l'épicerie du coin, ils en ont. J'irai en chercher.

– Ça ne te dérange pas ? demande ma sœur.

– Pas du tout.

– D'accord ! Bon, récapitulons ! Le temps ailleurs n'est pas le même qu'ici. Alors que nous avons passé quasiment deux jours là-bas, une heure seulement s'est écoulée ici. En fait, peut-être juste quelques minutes si vous tenez compte de notre aller-retour.

– T'as raison ! s'exclame Maxime, comme frappé par cette révélation. D'après Vatir, le château a disparu il y a 7 ans. Bizarre, non ?

– Et puis, il y a la pierre, dis-je. Je crois que…

J'interromps ma phrase en voyant le club Zohar au grand complet arriver. Les filles marchent d'un pas sûr, comme pour nous affronter. Elles s'arrêtent. Malika et Farah nous regardent de haut. Les jumelles affectionnent les couleurs sombres, particulièrement le noir et les tricots de coton rayés noir et blanc. Malgré la chaleur de l'été, elles portent toujours de grosses bottines lacées. Mes pieds auraient fondu dans de tels souliers. Mes ex-amies ont adopté leur look rebelle sauf pour les bottines. Marie-Pier a troqué son ruban rose ou rouge pour un ruban violet en harmonie avec son t-shirt.

– Il semble que vous allez présenter une pièce, ricane Malika.

– Peut-être bien, je réponds.

– Tu nous as promis, riposte de sa voix haute Marie-Pier.

– Eh bien, nous ne sommes pas en compétition, répond Samara. Le pire serait qu'on se décide à la dernière minute et qu'on produise une pièce des plus mauvaises.

» D'ailleurs, ces jours-ci, je ne fais que des dessins moches, ajoute ma jumelle en ricanant.

Maxime, Simon, Samara et moi rions. Comme elles ne comprennent pas l'allusion, elles nous jettent un mauvais œil.

– Si vous n'aimez pas notre réponse, c'est votre affaire, dis-je comme pour enfoncer le dernier clou du cercueil.

– Des amies, hein ? s'exclame Farah, celle qui porte ses cheveux lâches. Elles n'ont pas de classe. Elles ne portent pas des vêtements griffés comme nous, des ARWARD.

– Mais, je réplique avec sarcasme, nous portons des BELLERIVE.

Elles prennent un air offusqué et s'éloignent. Je claque dans la main de ma sœur, très fière de les avoir contrariées. Nous rions de plus belle.

– Eille ! je m'exclame, elles sont harcelantes.

– On dirait qu'elles cherchent à nous mettre des bâtons dans les roues, dit Maxime. Au moins, nos amis ne sont pas aussi dérangeants.

– Je n'ai pas du tout envie d'écrire une pièce de théâtre, dis-je.

– Même si notre mère peut nous faire de super costumes chouettes, ajoute ma jumelle. Des vêtements signés BELLERIVE.

– Sauf qu'on ne peut pas l'obliger à faire ça, je réponds. Mais… dis-je en laissant le temps aux autres de réagir.

– Quoi ? m'interroge Simon.

– Notre mère ne raffole pas des voisins. Je ne crois pas que ce soit nécessaire qu'on mette bien des efforts sur la pièce de théâtre.

– C'est vrai, renchérit ma sœur. Notre mère n'aime vraiment pas nos voisins d'en face.

– Sauf qu'il vaudrait mieux prévenir que guérir, déduit Maxime. Je pense que ma mère est plutôt en bons termes avec les Wolff. C'est une maquilleuse professionnelle et ma mère adore ses conseils et les produits qu'elle utilise. Alors, désolé les filles, mais je pense qu'on va devoir s'y atteler.

Je bous de rage.

– Je crois, dit Simon que nous allons devoir trouver un autre endroit pour nous réunir. La place est trop à découvert.

– Tu as raison, dis-je. Je n'ai plus besoin de surveiller ces jumelles. Mon opinion est faite. Ce sont des sorcières et nos anciennes amies ont l'intention de nous faire payer cher notre nouvelle alliance avec vous. Donc, nous allons nous installer dans la véranda arrière de notre maison. Comme ça, elles ne sauront pas où nous sommes et surtout, elles n'oseront pas nous rechercher à l'arrière de la maison.

Le reste du club approuve et, avant de nous déplacer, nous dévorons chacun un jalapeño de notre jardin. Le feu chaud du piment nous ravigote l'esprit et nous met de bonne humeur. C'est en chantant et en sautillant que nous nous dirigeons vers notre maison. Une fois installés, nous décidons des actions à prendre.

– Pensez-vous que je dois redessiner la carte ? demande Samara.

– À la lumière de ce que je comprends, oui, je réponds à ma sœur. Te sens-tu capable de redessiner la carte de façon identique ?

– Bien sûr que oui, me répond-elle avec assurance. Ça se dessine tout seul. Je n'ai pas besoin de me forcer.

– C'est ce que je pensais, dis-je. Mais… cette notion de temps m'échappe.

– Décidément, le temps n'est pas le même que chez nous, déduit Maxime. J'ai l'impression que le temps passé chez eux ne compte pas chez nous.

– Qu'est-ce que tu veux dire ? demande Samara.

– Le temps passé chez eux n'équivaut à rien chez nous. Nous pourrions passer une année là et rien ne changerait ici.

– Wow ! s'enthousiasme Simon. On pourrait avoir une aventure des plus fantastiques et personne ne le saurait. Un peu comme... dans Narnia ! Voyons, il y a une grande armoire et Peter, Susan, Edmund et Lucy entrent dans cette armoire pour aller dans un autre monde. Quand ils reviennent chez eux, ils sont de retour au même moment où ils se sont réfugiés dans cette armoire.

– Il semble que ce soit ça ! renchérit Maxime.

– Wow ! wow ! wow ! j'adore ça, trépigne-t-il de joie.

– D'accord ! Je comprends que tu t'enflammes pour ça, mais tu devrais te rappeler que ce n'est pas un jeu, je te préviens.

– Wow ! m'enflammer, j'aime ça, répond Simon.

– Si seulement tu pouvais te calmer le pompon avec ton wow ! toutes les deux secondes, se choque Samara. C'est sérieux !

– Vous êtes là, les filles, dit ma mère en ouvrant la porte extérieure de la maison donnant accès de l'intérieur de la véranda. Je vous cherchais. Le dîner est prêt. Est-ce que vos amis veulent rester ?

– Non merci, Madame Bellerive, répond poliment Maxime. J'ai un rendez-vous chez le dentiste au début de l'après-midi.

– Et toi, Simon ? demande ma mère.

– Je crois que je vais manger chez nous. Merci pour l'invitation !

Nos copains s'en vont et ma mère est tout éblouie de les voir si gentils et si polis.

– Ils sont vraiment gentils, vos amis.

– Merci, m'an ! répondons-nous en chœur.

– Qu'allez-vous faire cet après-midi ?

– Moi, je vais dessiner, dit Samara.

– Et moi, je vais lire.

– Étonnant ! Il me semble que vous avez pris de la maturité en quelques jours seulement. J'en suis toute retournée. Allez, les filles ! J'ai préparé votre mets préféré, des burritos au riz et au poulet avec…

– Beaucoup de jalapeños, nous répondons en riant.

– Et…

– Une grosse salade ! nous ajoutons.

Chapitre 15

LES ÉLÉMENTS

– Je suis incapable de redessiner la carte, pleurniche Samara. Je crois que je me suis surestimée quand j'ai dit que ça se dessinait tout seul.

– Tu n'as qu'à réessayer, lui dis-je.

– Cent fois, remettez votre ouvrage sur le métier, se lamente Samara, c'est ça que tu veux me dire ! Cent fois, redessinez cette carte. Je ne sais pas quel élément m'empêche de bien réussir.

– Les éléments ! je m'exclame, pleine d'une énergie soudaine. Mais oui ! Nous devons creuser sur ce sujet.

– Quoi ? Qu'est-ce que tu dis ? renifle ma sœur.

– Les éléments. Tu m'as fait penser aux éléments comme la terre, l'eau, l'air, le feu et… à nos signes du zodiaque.

Je me rue sur l'ordinateur et je l'allume.

– Allez, ordinateur, que j'accède au moteur de recherche !

Je soupire face à la lenteur de l'appareil. Je cherche sur Internet et bingo ! Je trouve ce que je cherchais, mais je suis stupéfaite.

– Eh bien, nous sommes nées sous le signe du lion et notre élément est le feu. Bizarre, non ? Euh ! Simon est né au mois de mai. À quelle date, déjà ?

– Je crois que c'est le 3 mai.

– Son signe du zodiaque est le taureau, et son élément… la terre. Maxime, maintenant. Sa fête, c'est en octobre, si je me souviens bien… un peu avant l'Halloween.

– De mémoire, c'est le 27, me dit Samara, qui s'est rapprochée de moi.

– Maxime est bien, lui : il est scorpion et son élément, c'est l'eau. Il est le seul à avoir le bon élément. Je n'y comprends rien. C'est de la vraie bouillie pour chat, hein Grizouille ?

Ma chatte est venue se vautrer entre mes pattes. Elle ronronne à plein régime.

– J'envoie un courriel à chacun. Nous devons éclaircir cette situation. Maxime est chez le dentiste. On se donne rendez-vous à quelle heure ?

– En fin d'après-midi, suggère ma sœur, juste avant le souper parce qu'après, nous ne pourrons pas nous réunir sans qu'un de nos parents soit dans nos pattes.

Je ris et je flatte Grizouille, qui est particulièrement affectueuse.

– Où ? je demande.

– Chez nous, dans la véranda.

– Tiens, Simon est sur Internet.

Saléna (en ligne) : Simon, es-tu là ?

Simon (en ligne) : Oui, j'étais sur le point de me préparer un gros sandwich. J'ai faim.

Saléna (en ligne) : J'ai une faveur à te demander. J'étais sur le point de t'envoyer un courriel quand j'ai vu que tu étais en ligne.

Simon (en ligne) : *Shoot!* Quelle est ta faveur ?

Saléna (en ligne) : Nous avons un gros problème. Nous devons nous réunir dès que possible. Peux-tu en aviser Maxime dès son retour de chez le dentiste ?

Simon (en ligne) : D'accord ! Je vais me poster avec mon portable dans le salon. De là, j'ai une excellente vue de l'entrée des Deschamps.

Saléna (en ligne) : Super ! Dans ce cas, dis-lui de nous rencontrer chez nous, dans la véranda.

Simon (en ligne) : Pas de problème. Dès que je vois Maxime, on se rend chez vous.

Saléna (en ligne) : Triple super ! On vous attend. ☺

Simon (en ligne) : D'ac ! Sauf que tu m'inquiètes avec ton gros problème.

Saléna (en ligne) : Je me dis qu'à quatre têtes, on devrait être capables de le résoudre.

Simon (en ligne) : *Yes!* À bientôt ! ☺

Il est exactement 15 h 52 lorsque Simon et Maxime arrivent chez nous. Maxime traîne dans son sac à dos l'embarrassant trident dont le manche dépasse du sac. Pour ne pas attirer l'attention, il a recouvert le bout d'un sac de plastique. J'ai moi aussi mon sac à bandoulière contenant la pomme d'or.

– Quel est le problème ? demande Simon, inquiet.

– Voilà, Samara n'arrive plus à dessiner la carte.

– Hein ? s'étonne Maxime. Comment est-ce possible ?

– Je n'en sais rien, pleurniche Samara. Je n'y arrive pas !

– As-tu pris les mêmes crayons ? interroge Simon.

– Bien sûr que oui. J'ai pris le même crayon de la dernière fois, un Prismacolor brun banc de sable, numéro 1094 et un crayon-feutre à pointe fine. Et je n'arrive pas à reproduire la même chose, dit-elle en pleurant à chaudes larmes.

– Il doit bien y avoir une explication, réfléchit Maxime.

– En plus, dis-je, j'ai fait une recherche sur Internet. Devinez quoi ?

Les deux gars grimacent et soupirent comme si ce suspense n'était vraiment pas nécessaire.

– D'accord ! C'est à propos des éléments.

Simon louche et montre son impatience en lâchant d'un ton bourru :

– Les éléments ? Han !

– Ben voyons, les gars, comme le feu, la terre, l'air et l'eau.

– Ça n'a rien à voir avec la carte de Samara, s'impatiente Simon.

– Moi, je connais mon signe, dit Maxime, je suis un signe d'eau.

– Eh oui, je hoche de la tête, tu es un signe d'eau et nous deux, on est un signe de feu, alors que je crois bien que c'est Simon qui aurait dû l'être à cause de… ses prouesses incendiaires. Pourtant, Simon est un signe de terre.

– Peut-être faut-il chercher les complémentarités plutôt que l'association directe, reprend Maxime.

C'est à mon tour de grimacer et d'émettre un gros han.

– Ben, je veux dire, vous êtes peut-être la complémentarité de votre signe qui est quoi, déjà ?

– Ben, selon notre date de naissance, c'est le feu !

– Tout s'éclaire, sourit-il, vous êtes la terre et l'air. Toi, Samara, tu dessines des cartes de la terre et toi, Saléna, tu veux être une animatrice à la télé, être dans les airs.

– *Right !* Tu as tellement raison ! je m'exclame. Excellente déduction, Maxime ! Je rêve de devenir un jour une animatrice de télé et que ma voix se propage dans les airs, et idéalement qu'elle fasse tout le tour du monde. Jus de betterave ! C'est trop cool ! Mais maintenant que nous connaissons les éléments qui se rattachent à nous, où est-ce que ça nous mène ?

Mais… qu'est-ce qui vient d'apparaître à la fenêtre de la véranda ? Trois têtes. Nooon ! Pas elles. Elles sont de véritables sangsues, de vraies petites pestes ! Qu'elles peuvent être collantes, ces jours-ci !

– Allô ! dit Charline.

– Bonjour ! dis-je avec amertume. Qu'est-ce que tu viens faire ici ?

– Eh bien, il faudra le demander à ta mère, dit Marie-Pier.

– Pourquoi ? demande Samara.

– Elle nous a invitées.

Yeurk ! Je me lève et je vois ma mère, à genoux, tête baissée, arracher des plants de pissenlit. Elle les a laissées pénétrer sur notre pelouse. D'un autre côté, je ne la blâme pas, ce sont nos anciennes amies. Nous ne sommes pas en guerre, mais presque.

– Nous sommes…

– En train de comploter, m'interrompt Marie-Pier.

– NON ! je hurle.

– Ce n'est pas nécessaire de crier, nous avons compris, dit Gabrielle. Nous allons partir.

– Ouf ! Qu'est-ce qu'elles sont agaçantes ! dis-je en soupirant une fois qu'elles ont tourné le coin de la maison.

Je me lève et les vois disparaître au loin. Ma mère a arrêté sa chasse au pissenlit et est en discussion avec Françoise, la mère de Simon, qui lui montre une circulaire publicitaire. Du coin de l'œil, ma mère regarde les filles, toute peinée de les voir nous quitter, mais elle continue de converser avec la voisine.

– Il faut trouver un autre lieu plus tranquille, suggère Maxime.

– OK, allons au pic, propose ma jumelle.

En passant devant le jardin, j'arrache quatre chilis avant que mon père recouvre les plants d'un filet antiécureuils. Nous nous rendons au pic. Une fois là, Maxime, en passant à l'endroit où le tronc s'est changé en trident, plante ce dernier dans le sol.

– Mais qu'est-ce que tu fais là ? je vocifère.

– Je voulais voir si ça fonctionnerait.

– Une chance que ça n'a pas fonctionné, se réjouit Samara, vivement inquiète. Tu aurais disparu et tu aurais été tout seul là-bas.

– Ouain ! Qu'est-ce que tu dis de ça ? lui dis-je d'un ton horrifié. Nous étions trop loin pour t'agripper. Utilise ta tête, jus de betterave !

– Bon, maintenant que nous sommes à deux millimètres l'un de l'autre, Maxime devrait réessayer, ironise Simon.

Je croise mes bras en signe de refus.

– Ben quoi ? Si ta sœur n'est plus capable de faire des cartes, il nous reste ce moyen, justifie mon débile de voisin.

– D'accord ! dis-je en décroisant mes bras et en ramassant une pierre que je mets dans mon sac en bandoulière.

On se rapproche. On se tient par la main et on fait une chaîne. Maxime plante avec force son trident dans la terre. Il ne se passe rien.

– Bizarre, dit Simon. Plante-le dans l'autre sens.

– Tu veux que j'enfonce le manche dans la terre ? s'étonne Maxime.

– Ben oui.

Bien qu'il soit étrange de planter le manche du trident dans le sol, il s'exécute, mais il ne se passe toujours rien.

– Rien ? Il ne se passe rien. Mais comment vais-je faire pour leur donner cette pomme ? je crie d'impatience en ouvrant mon sac pour la contempler.

Les bras ballants, nous sommes autour de cette parcelle de terre où un magnifique sapin rose avait jadis poussé. Déçus, tristes, désemparés, nous grimpons au haut du pic du Corbeau. Sur le bord, nous nous assoyons, jambes pendantes, pleurnichant, sans ressource, super malheureux, convaincus que l'aventure se termine ainsi. Nous regardons l'eau de la rivière couler. Nos pleurs salins se mêlent à l'eau douce de la rivière quand, tout à coup, j'entrevois un espoir. Au bas de cet à pic, une mince et haute ouverture dans la paroi rocheuse m'attire.

– Regardez en bas ! Il y a comme une brèche sur le flanc de cet escarpement.

Chapitre 16

LA GROTTE

En la regardant de plus près, il semble bien que la brèche cache une cavité. Nous sommes tout excités. Nous descendons et nous dirigeons vers cette ouverture. Simon nous précède. Avec précaution, nous marchons sur la petite bande au pied de l'escarpement. Nous atteignons la portion la plus difficile du chemin. Comme Simon, j'enlève mes souliers et je marche dans l'eau, dont le niveau atteint la moitié de mes mollets, avant d'accéder à un plateau. Simon accède facilement à ce palier en s'agrippant à la paroi rocheuse et en rampant. Il se redresse. En bon gentleman, il me tend la main et aide ensuite Samara à monter. L'espace plane est restreint et je pénètre à l'intérieur de l'ouverture.

– Wow !

L'intérieur est impressionnant et ma voix résonne comme elle le ferait dans une église. Immédiatement, je m'exclame :

– Notre sanctuaire, notre grotte sacrée.

Samara fait irruption. Le bruit de chacun de ses pas retentit dans ce vaste espace.

– Wow ! dit-elle à son tour.

La cavité est emplie par les échos. Simon et Maxime entrent en même temps. Nous nous retournons sur nous-mêmes pour admirer les lieux. Un rayon de soleil pénètre par le haut de l'ouverture et éclaire suffisamment l'endroit. Si l'on oublie quelques morceaux de bois et quelques plaques de sable au sol, les lieux sont relativement propres.

– On se croirait seuls au monde, s'enthousiasme Maxime. C'est extraordinaire.

Je saute de joie et l'écho nous amuse. Pendant quelques minutes, on ne trouve rien de mieux que de crier, de sautiller et d'écouter l'écho.

– Eh bien, s'enflamme Simon, ce sera notre lieu secret et sacré.

» Oh ! s'écrie-t-il en pointant un endroit haut de la grotte et retiré, une niche.

Sans attendre, il grimpe. Moi, j'ai peur qu'un animal méchant ou qu'un aigle se terre à cet endroit. À mi-parcours, il n'y a aucun point d'appui pour accéder à cette plate-forme. Il redescend et cherche un meilleur accès. Il en découvre un où il peut glisser le bout de ses pieds dans des enfoncements fermes et où ses mains peuvent agripper des aspérités rocheuses offrant de bonnes prises solides.

– Fais attention ! je crie.

En deux temps, trois mouvements, il atteint la niche et s'accroupit.

– Fantastique, d'ici, j'ai une vue superbe du dehors. Il y a une grosse trouée dans le haut de la brèche. C'est merveilleux !

Maxime est le premier à rejoindre Simon. De toute évidence, l'ascension semble facile et sans risque. Je suis la suivante et je constate que c'est le cas. J'ai l'impression d'accéder à un lieu mystique et magique. Samara arrive à son tour. Nous examinons chaque coin de cet emplacement surélevé et nous réjouissons.

– Que c'est beau ! Personne ne va découvrir ce lieu ! s'émerveille Samara.

– Les petites pestes ne viendront plus nous ennuyer, je ricane.

– Non, c'est impossible qu'elles trouvent l'endroit. On pourrait décréter que cette grotte est à nous, dit Simon.

– Avec une cérémonie, je propose.

– On pourrait méditer, suggère Samara en riant, comme de vrais sorciers. On s'accroupit en rond, on se tient par la main et on ferme les yeux en murmurant un aum comme pendant les séances de méditation.

– Ben non, on ne se tient pas par la main lorsqu'on fait les mantras, dit Maxime.

– Pourquoi tu dis ça ? je lui demande.

– Ma mère le fait de temps à autre pour relaxer. Elle a le DVD et je la vois s'accroupir en tailleur, la paume des mains vers le haut posée sur ses genoux et ensuite, elle murmure des aum my aum my aum.

– Peu importe, dit Simon. Notre rituel sera de manger des piments, *right ?* Et de se tenir par la main.

– *Right !* je réponds en riant.

Nous croquons notre chili et une douce chaleur se répand en nous. Nous étendons nos bras et nous nous tenons par la main. Je ferme les yeux. Je me sens bien. Je flotte dans un brouillard lorsque mes jambes frappent un objet dur. Je ne sais pas ce que c'est. Je projette mes bras vers cet objet et m'aperçois que je ne tiens plus leurs mains. Pire, je ne vois pas mes amis, ni ma sœur. Je commence à paniquer.

– Eh ! Oh ! Où vous êtes ? je crie.

Ma propre voix se perd dans l'épaisse brume. J'écoute et j'entends les voix de mes amis au loin. Je les sens loin, très loin. Je crie encore et ils me répondent. Je veux les rejoindre, mais comment ? Mes pieds sont comme sur un socle pierreux au milieu de nulle part. Je ne les vois toujours pas. Je n'aperçois même pas mes genoux. J'ai envie de pleurer.

– Je marche vers vous ? je hurle.

J'avance délicatement en glissant un pied devant l'autre. Je pleure et je crie sans arrêt. Puis, j'entends ma sœur crier comme une défoncée. Je suis complètement transie de peur.

– Où es-tu, Samara ?

C'est le silence. Je n'entends plus rien. Je suis comme à l'intérieur d'un coton ouaté et un livre m'apparaît. Un livre avec une couverture d'une couleur brun bourgogne. Je ne suis pas trop sûre de la couleur, par contre je vois très bien le titre : *Zohar*. Je frémis. Zohar, comme le club Zohar formé par les jumelles Malika et Farah ainsi que mes anciennes amies Gabrielle, Marie-Pier et Charline. Mais qu'est-ce que ce livre fait là ? Tout à coup, je glisse et je crie à mon tour comme une malade. Je suis en chute libre et soudainement, ma tête touche une surface froide.

– Wow ! dit une voix. C'était époustouflant !

Je suis accroupie et ma joue est en contact avec la pierre. Je relève la tête. La brume a disparu et devant moi, Simon jubile.

– La voix m'a dit de chercher un bâton.

– Un bâton ? s'étonne Samara.

– Oui, et pas n'importe lequel ! J'ai clairement vu le bâton de mon père. Celui qui est dans un étui en cuir. En fait, c'est plutôt une longue baguette faite en bois d'if.

– Est-ce que tu penses qu'il va te la donner ? je lui demande. Je veux dire, est-ce que tu penses la prendre sans qu'il s'en aperçoive ou la lui demander ?

– Je crois bien qu'il va me la donner. Je l'ai vue dans le placard et elle n'a pas bougé de là depuis une éternité. C'est une très belle baguette et elle m'a toujours intrigué. Je pense bien qu'il n'aura pas de problème à me la confier. Et vous autres ? Rien de spécial ?

– Moi, étrangement, déclare Maxime en ouvrant son sac à dos et en retirant le trident, une voix m'a dit…

Il cherche au fond de son sac et retire l'améthyste.

– De la placer sur le trident et qu'elle s'incrustera.

– Hein ? s'étonne Simon, c'est bien trop abracadabrant, ton histoire.

– Je sais, c'était hallucinant ! J'en ai encore des frissons de joie.

Quoi ? je me dis. Ils ont eu une aventure dans ce brouillard extraordinaire, alors que moi, c'était… épeurant. J'ai hâte d'entendre la version de ma sœur.

Simon et Maxime examinent attentivement le trident. Ce dernier glisse la pierre au-dessus. Rien ne se passe, mais lorsqu'il passe près du manche, là où il y a un motif de vague, un clic retentit et la pierre s'enfonce exactement à cet endroit.

– Wow ! crions-nous de surprise.

Maxime élève son trident et l'admire. Il sourit de plaisir.

– Et toi ? me demande Simon.

– Euh… je préfère que ce soit Samara qui nous raconte son histoire.

– Eh bien moi, j'ai eu la peur de ma vie lorsqu'un tourbillon de sable s'est emparé de moi. J'ai cru que j'allais mourir. Une voix nasillarde m'a dit que mes crayons étaient contaminés et que je devais les laver dans de l'eau savonneuse.

– Étrange ! murmure Simon.

– C'est peut-être la raison pour laquelle tu ne peux redessiner la carte, déduit Maxime.

– Peut-être, mais cette voix m'a glacée le sang. Je ne veux plus vivre cette expérience.

– Et toi, Saléna ? dit Simon en revenant à la charge.

– Pour moi aussi, ce fut assez pénible ! Toutefois, ce n'était pas aussi clair que ma sœur, dis-je en mentant. J'étais dans un épais brouillard et je ne voyais même pas mes mains.

– C'est tout ?

– C'est tout, je mens à nouveau.

Nos deux copains sont estomaqués, mais ils n'insistent pas lorsque je leur répète que je n'ai rien vu d'autre que cette brume. Par le trou béant de la fissure, nous voyons que la lumière de fin d'après-midi s'atténue.

– Bon, eh bien, nous ferions mieux de retourner chez nous, indique Simon.

– Moi, je laisse mon trident ici, annonce Maxime. L'endroit me paraît très sécuritaire. Je suis un peu fatigué de le traîner partout. Ma mère pense que j'ai une raquette de tennis dans mon sac.

– Tu as raison, dit Simon. Dorénavant, ce sera notre lieu de réunion et l'endroit où nous entreposerons nos biens.

Nous acquiesçons. Moi aussi, j'en ai assez de toujours traîner la pomme d'or. Au fond de la cavité, nous trouvons une grande quantité de galets pour recouvrir les précieux objets.

Sur le chemin du retour, je chante avec eux malgré la frousse que j'ai eue. Simon siffle et imite un pinson, puis les serins de sa sœur et enfin, les cris d'un écureuil. En plus de son chien, Alumine, un yorkshire-terrier nain à poil long, Arielle a un couple de serins dans sa chambre. Ses imitations d'oiseaux et d'écureuils me font oublier ma peur et je rayonne de joie.

– Simon, tu siffles drôlement bien, lui dis-je avant qu'il nous quitte.

– Je suis bien obligé, ricane-t-il, c'est moi qui entraîne les serins de ma sœur.

– Demain, on se rencontre vers 10 h à notre lieu, je le préviens. Nous avons notre cours de natation.

– D'accord ! répond Maxime. On se voit là-bas.

En passant par le jardin, je vois mon père agenouillé dans le jardin en train d'installer un filet sur les plants de piments. En nous apercevant du coin de l'œil, il prend la peine de nous prévenir que notre mère n'est pas très contente. Puis, il continue d'étendre le filet en le fixant bien au sol avec des bouts de bois.

– Jus de betterave ! Elle est sûrement de mauvaise humeur en raison des piments. Elle va nous accuser de leur disparition, je dis à ma sœur.

– Ça doit être ça !

Nous nous attendons à une sévère remontrance.

Chapitre 17

ZOHAR

Alors que nous rentrons dans la maison, une bonne odeur de sauce à spaghetti et de croûtons à l'ail nous chatouille les narines. Elle termine la préparation d'une salade et verse de la vinaigrette sur les légumes. Dès qu'elle nous aperçoit, elle lève la grosse cuillère du saladier et la pointe vers nous. Son visage s'assombrit et ses yeux se remplissent de rage. Je sens que papa a absolument raison. Elle n'est pas contente du tout.

– Eh bien, où étiez-vous passées ? hurle-t-elle.

Évidemment, par le ton de sa voix, on sait qu'elle est en furie. Je crains qu'elle nous impose de nouvelles consignes.

– Ben, nous sommes allées au pic du Corbeau, pourquoi ? je lui demande.

– Parce que je vous ai cherchées partout. J'ai vu vos amies quitter les lieux, je pensais que vous étiez toujours dans la véranda. Trois minutes plus tard, vous n'y étiez plus. Je vous ai cherchées partout.

– C'est à cause d'elles, s'exclame Samara. Elles sont comme des petits chiens courant après nos bottes. Nous sommes partis vers un lieu plus tranquille pour nous éloigner de ces sangsues.

– Tout doux, dit mon père en rentrant. N'employez pas ce ton avec votre mère. Bon, je crois que les écureuils auront un peu de difficulté à s'emparer des piments. J'ai bien recouvert les plants et bien attaché le filet au sol.

Ma mère soupire et se radoucit.

– Merci, chéri ! J'étais inquiète. Je ne savais pas où vous étiez. Même si vous étiez au pic du Corbeau, vous ne devriez pas y aller en fin de journée. Il peut y avoir des gens pas corrects, dans ce parc.

– Mélanie, dit mon père. Je crois que tu exagères un peu. C'est le parc le moins fréquenté.

– Justement, c'est ceux-là qui sont les plus dangereux !

Hein ? je me dis. J'espère que nos parents ne vont pas nous défendre d'y aller. On vient tout juste de trouver l'endroit parfait pour nos discussions.

Finalement, après quelques échanges entre eux, ils en viennent à établir une plage de fréquentation.

– Pas avant 9 h du matin et pas après 6 h quand vous n'êtes pas accompagnés d'un adulte, dit ma mère. Il faut surtout nous avertir avant de partir.

Mon père fait un clin d'œil d'approbation à notre mère et nous hochons la tête. Fiou ! On a failli ne plus pouvoir y aller seules. Heureusement que notre père a réussi à détendre l'atmosphère.

– Bon, le souper est prêt ! Je vous sers, dit ma mère.

Ma sœur se prépare pour le lendemain. Elle met dans un sac de piscine son maillot de bain, sa serviette et les autres articles nécessaires. Puis, elle sort de son placard un sac à dos. Elle saisit des crayons de couleur, dont le fameux beige banc de sable, et va à la salle de bain. J'entends l'eau couler. Elle doit être en train de les laver. Elle revient et les enveloppe de mouchoirs de papier. Elle coupe quelques lisières de papier qu'elle roule et glisse dans un tube de plastique.

– Bon, je suis prête pour demain. Et toi ?

– Non, je n'ai rien à préparer, dis-je en mentant.

– C'est quand même bizarre que la voix m'ait prévenue que mes crayons étaient contaminés ! En tout cas, on verra bien, je les ai bien lavés.

D'en bas, j'entends ma mère nous crier de nous coucher de bonne heure pour nous lever à temps pour nos cours de natation. Ma sœur répond qu'on n'en a que pour une demi-heure. Elle s'allonge sur son lit et regarde un livre intitulé *Comment dessiner des dragons*. J'en profite pendant qu'elle est concentrée pour faire une recherche sur Internet. Je tape Zohar.

Ce mot me fait frissonner pour une raison quelconque. Le nom ne me dit rien, alors j'ai l'impression que c'est un monstre, peut-être bien le nom d'un dragon. Pourtant sur le Net, je ne vois que des textes et un étrange dessin appelé Kabbalah. D'après ce que je comprends, cela n'a rien avoir avec des sorciers, des monstres, des loups-garous ou des trucs du genre. C'est comme une espèce de religion, peut-être comme le Wicca. Ma mère cogne à notre porte sans l'ouvrir.

– Les filles, c'est l'heure de vous coucher. Demain à 6 h 30, vous avez votre cours de natation.

Nous gémissons et implorons une autre demi-heure supplémentaire. Elle ne change pas d'idée et ouvre la porte.

– Saléna, tu fermes l'ordinateur. Samara, tu ranges tes crayons. Demain, pas de chichis. Vos sacs de natation sont prêts ?

– Pas le mien, maman.

– Dans ce cas, j'attends !

Je continue mes jérémiades en bourrant mon sac de sport, un sac à dos rose avec une illustration d'un joli chat blanc brodée sur le dessus. Ma mère a le culot de m'attendre. J'enfile rapidement ma jaquette blanche et je me couche.

Soudainement, je me réveille. Mon cœur se débat dans ma poitrine et j'ai les mains moites. J'ai tellement peur que j'en tremble. J'ai eu la même vision, celle où j'étais dans la brume et où je voyais un bouquin avec une couverture d'une couleur brun bourgogne, un livre titré *Zohar*.

Haletante, je me lève et j'enfile mes pantoufles blanches de ballerine. Je jette un coup d'œil par la fenêtre : la lune est presque ronde et projette une lumière assez forte. Une vapeur légère et blanchâtre s'élève de la terre. Je descends à la cuisine et je prends un bon verre d'eau froide. L'horloge de la cuisinière indique 2 h 35.

Alors que je rassemble mon courage faiblard, une force m'alimente et une farouche détermination grandit en moi. Je suis prête coûte que coûte à aller chercher ce livre. Je suis convaincue qu'il se trouve à l'intérieur du jardin d'hiver, la jolie serre des voisins d'en face. Je sens des ailes pousser dans mon dos et je m'élance dehors.

À l'extérieur, une brume dense m'entoure et je frissonne. Ça ressemble à ma vision, sauf que je vois bien que je suis réveillée et debout en pleine nuit.

Je traverse la rue. Tout est calme dans le district 2 de la municipalité de Saint-Parlinpin. Il n'y a pas une voiture en marche, pas une lumière allumée, sauf les réverbères de la rue. Arrivée à l'arrière de la maison, je vois que les rayons de la lune sont assez puissants pour traverser le brouillard et éclairer l'intérieur de la serre. Je vois par les fenêtres des étagères de plantes, des pots, des sacs de terre, une petite bibliothèque, une chaise berçante et une table en fer forgé au centre de la pièce. Je pose ma main sur la poignée en fer forgé en forme de bec de cane.

Je ne nourris aucun espoir quant au fait que la porte va s'ouvrir. Comme toute bonne porte extérieure, elle doit être barrée de l'intérieur. Sans grande attente, je presse le bec de cane et la poignée s'abaisse. Le mécanisme libère la porte. Je la pousse et je pénètre à l'intérieur. J'avance à petits pas jusqu'à la bibliothèque. Je cherche, mais je ne vois que des livres de jardinage et quelques livres de Wicca. Le livre *Zohar* n'est pas là.

Puis, ma conscience se réveille. Qu'est-ce que je fais là ? Ma place n'est pas ici. Je devrais être dans mon lit et dormir. Je n'ai qu'une idée : m'en aller. Mon courage a totalement fondu comme neige au soleil. Je veux fuir les lieux lorsque des lumières s'allument derrière moi.

Non ! Quelle malchance ! Je suis à mi-chemin de la porte. Vite, une cachette !

Quelqu'un est dans la cuisine des Wolff. Un voleur ? Ben non, un voleur n'allume pas les lumières. Ne me dites pas que les jumelles m'ont repérée. Brrrr ! Promptement, je m'écrase et je me glisse sous la table en fer forgé qui a... un dessus en verre. Génial ! Je ne me sens pas du tout cachée.

La silhouette est celle d'une adulte. C'est madame Wolff qui prend un grand verre d'eau. Verre à la main, Sybille entrouvre la porte séparant la cuisine du jardin d'hiver. J'entends une autre personne. C'est Loup, son mari.

– Belle soirée ! lui dit-il en embrassant son épaule dénudée.

Jus de betterave ! J'espère qu'ils n'ont pas des idées trop romantiques. Je n'ai pas envie de les voir s'embrasser passionnément dans la cuisine, ou pire, ici, dans le jardin d'hiver !

– En effet ! Une soirée chaude et mystérieuse. J'adore cette brume et cette luminosité théâtrale. Tu ne dors pas ?

– Non, j'ai trop mangé. J'ai pris quelques pastilles à mâcher contre les remontées acides dans la salle de bain et ensuite, je t'ai cherchée. Regarde, ma chérie, on voit tout ! s'exclame-t-il en bichonnant encore son épaule. Les rayons de cette lune éclairent tout l'intérieur de la serre, les vitraux au haut des fenêtres sont spectaculaires.

– C'est magnifique, répond-elle. Justement, demain, c'est la pleine lune, et un samedi en plus. Ma mère vient avec ses vieilles amies et elles vont vouloir faire leur cérémonie, le Lughnassadh.

– On dirait que tu n'es pas contente.

– Si, sauf que ça ne me tente pas ! On vient tout juste d'emménager. Demain, il va falloir que j'achète un tas de victuailles, sans parler de la nourriture à préparer, soupire-t-elle.

Loup met une main sur son épaule et se rapproche de son oreille tendrement. Il lui glisse :

– Les jumelles aiment tellement leur grand-mère et ces fêtes en soirée.

Elle se détache de lui et avance vers ma cachette. Qu'est-ce que je fais ? Je regarde à gauche, à droite. Je n'ai nulle part où aller. Zut ! Je ferme les yeux et croise mes doigts. Je l'entends prendre un livre sur la chaise et le déposer sur la table. J'ouvre mes yeux. D'où je suis, je vois au travers du verre. Le livre posé directement sous ma figure est... jus de betterave ! celui que je cherchais. Comble du malheur, elle s'apprête à s'asseoir à côté de moi lorsque Loup lui dit en se flattant le ventre :

– Je me sens mieux. Viens, ma belle, nos draps de satin nous attendent !

Appuyé sur le chambranle de la porte, il allonge sa main et il lui fait un sourire mystérieux et plein de charme. Elle hésite, puis elle répond à son tour par un sourire tout aussi charmeur et quitte les lieux. Sur le seuil de l'ouverture entre la cuisine et la serre, ils s'embrassent langoureusement avant de fermer la porte et les lumières.

Fiou ! J'ai bien failli être prise au piège. Je ramasse en vitesse le livre et je quitte les lieux.

Chapitre 18

DÉCEPTION

Ma sœur me brasse avec vigueur. Pour une fois, elle se venge sur moi en me donnant des coups dans le dos avec son oreiller. Habituellement, je me lève avant elle et je l'assomme à coups de poing.

– Eille ! La vieille, réveille-toi. Maman nous attend en bas. Il est déjà presque 7 h. Et notre mère ne veut pas que nous soyons en retard. Mais qu'est-ce qui t'arrive ? C'est bien la première fois que je te vois aussi endormie. On doit être là-bas dans 45 minutes.

– Arrête, je me lève.

Je lui lance mon oreiller et je me redresse. Peu à peu, mes esprits reviennent. Quelle nuit ! J'ai volé un livre chez les Wolff, et je n'en reviens tout simplement pas. Ma sœur descend déjeuner et crie à ma mère qu'elle a réussi sa mission à mi-parcours dans l'escalier. Ma mère la réprimande en lui disant de ne pas crier si fort pour ne pas réveiller notre père, qui a le droit de se lever tard le samedi matin.

Je me lève et m'habille rapidement. Je regarde dans le dernier tiroir de ma commode sous la pile de mes pyjamas. Le livre est bien là. Je n'ai pas rêvé, je l'ai volé, ou plutôt emprunté. J'ai très hâte de l'examiner après mon cours de natation.

Il est 9 h 30 lorsque je me précipite dans ma chambre. Ma sœur me suit sans trop connaître la raison de ce vif intérêt.

– Tiens, je l'ai ! dis-je en montrant à ma sœur le livre.

– C'est quoi, ça ?

– Ben, le livre sur le Zohar.

– D'où vient-il ?

– De chez les Wolff.

– Chez les Wolff ? Mais… qu'est-ce que tu veux dire ?

– Cette nuit, je suis allée le prendre.

– Tu veux dire que tu as perpétré un crime chez eux en pleine nuit ?

– Oh ! là ! là ! Sors pas tes mots à 10 piastres. Je ne l'ai pas volé, juste emprunté.

– Mais pourquoi ?

– Voyons, c'est simple, pourtant ! Pour en savoir plus sur Zohar.

– Zohar, c'est un nom pour nous embêter.

– Pas tant que ça, tu vois, ça existe.

– Explique-toi, parce que je ne comprends pas du tout ton geste ! crie ma sœur en me faisant sa face de ce-que-tu-peux-être-imbécile. Grrr ! Elle m'enrage, la cadette !

– Parce que je pensais que c'était un monstre, et à ce que je vois, c'est…

– Rien.

– Ouain, surtout que le livre est en anglais. Je n'y comprends rien.

– Où était-il ?

Je lui raconte toute mon aventure et ses yeux s'agrandissent lorsque je lui dis que j'ai passé à deux cheveux de me faire prendre par madame Wolff et son mari.

– Alors ? je lui demande.

– Ben, ça voudrait la peine d'en discuter avec les gars.

Je glisse le livre dans mon sac à dos et, après une demande officielle à notre mère, nous nous rendons chez Simon, puis chez Maxime.

– Il paraît que tu sais lire l'anglais, je lance à Maxime.

Nous venons à peine de nous asseoir à la table de pique-nique de Simon, notre endroit privilégié pour surveiller les allées et venues de chacun, et Maxime me regarde avec un point d'interrogation en plein milieu de son visage.

– Ben oui, juste un peu, répond-il humblement.

– T'es mieux de savoir lire l'anglais, parce que ma sœur s'est levée en pleine nuit pour aller voler un livre.

Les gars se mettent à rire.

– Voler un livre, en anglais en plus ? C'est bien débile ! rigole Maxime.

Brrr ! Vont-ils tous se mettre à me traiter d'imbécile ? En poussant un gros soupir, je lui montre le livre.

– C'est quoi, ça ? Zohar, comme le club des jumelles en face de chez toi ?

– Justement, ce serait important de savoir ce que c'est, ce Zohar !

Maxime l'examine et le découragement se lit sur son visage.

– Ben, il n'y a pas une seule illustration, et c'est écrit petit, tu sais.

– Ouais, et alors ?

– Ben, c'est du sérieux, ce livre. Il parle de Kabbalistic, je ne sais pas ce que c'est. Peut-être qu'il s'agit de cannibalisme.

– T'es sérieux ? je m'étonne en reprenant le livre.

Je le parcours en diagonale et je déchiffre certains mots.

– T'es pas mieux que moi. Il parle de Dieu, du créateur, de rabbi, de la genèse et du roi Salomon.

– Des rabbis, hein ? Comme des rabbins, s'ahurit Simon à son tour. D'après moi, tu ferais mieux de ramener ce livre au plus vite là où tu l'as pris. Ce livre n'est pas important, du moins, pas pour nous.

– Jus de betterave ! Tout ça pour ça ! Moi et ma mautadite curiosité.

– Je pense comme Simon, il faut que tu le ramènes, tête de linotte, dit ma jumelle.

– Comme ça, on ne va pas à la grotte ? demande Maxime.

– Ça m'a tout l'air que non, enchaîne Samara, furieuse. Parce qu'elle l'a pris sur la seule table dans le jardin d'hiver. Sybille était sûrement en train de le lire. Donc, ELLE VA SÛREMENT VOULOIR CONTINUER SA LECTURE ET LE CHERCHER, dit-elle en mettant l'accent sur la dernière phrase.

– Ouais, sûrement, dis-je en soupirant. Il faut que je le rende. Je pourrais le mettre par terre ; comme ça, elle va se dire : « Ah ! il est juste tombé, c'est pour ça que je ne le trouvais pas ! », dis-je d'une voix haut perchée.

– Ouain, grimace Samara. À part ça, si tu penses qu'on va t'aider, oublie ça, la vieille !

Brrrr ! Va-t-elle un jour arrêter de m'appeler comme ça ?

Une Porsche noire conduite par un homme passe et se gare devant la maison de Gabrielle. La portière du passager avant s'ouvre. Une dame en descend. De l'autre côté, deux jeunes filles sortent de la voiture et courent vers l'entrée. La dame les rejoint et sonne à la porte.

– Voilà ta chance ! dit Simon. Ta voisine d'en face amène les jumelles chez Gabrielle et son mari conduit la belle Porsche. Ouain, il y en a qui ont du pognon.

– Ouais, t'as raison. Elle va travailler ou magasiner avec son mari, j'en déduis. Pensez-vous que nous disposons d'une bonne heure pour replacer le livre ?

– Je crois que oui, dit Maxime. Peut-être un peu plus, mais… tu dois y aller seule.

– Tu veux dire qu'il faut que j'y aille maintenant et toute seule ?

– Saléna, se fâche ma sœur, c'est toi qui l'as pris !

– D'accord ! dis-je en prenant une grande inspiration. Pourriez-vous surveiller mes arrières ?

Simon sourit et Maxime fait l'imbécile en lorgnant mon derrière.

– Eille ! Les malades, c'est sérieux ! je m'exclame en me retournant pour qu'ils ne voient plus mon postérieur.

– D'accord ! dit Simon. Une fois que tu seras sur place, il faudra pouvoir te signaler d'une façon quelconque si un danger se présente ou si tu peux poursuivre. Un signal non détectable par eux, mais seulement par toi.

Aussitôt, je suis rassurée. Je sais immédiatement ce que Simon pourrait faire.

– Simon, t'es génial ! je lui dis. Voilà…

J'ai les genoux qui tremblent. Je n'en crois pas mes yeux. Je rapporte le livre. Simon imite un pinson pour indiquer que la voie est libre. Ni les jumelles, ni leurs parents ne sont dans les parages. Rendue derrière la maison, je constate avec bonheur que la porte de la serre n'est toujours pas verrouillée. J'entre rapidement à l'intérieur et je dépose le livre sur le sol, près de la table. Je sens un énorme poids s'enlever de mes épaules. Toute légère, je suis sur le chemin de la sortie lorsque j'entends les cris répétés et affolés d'un écureuil. C'est le signal convenu avec Simon pour m'indiquer de déguerpir au plus vite.

À la vitesse de l'éclair, je sors de la serre et j'emprunte l'allée à gauche de la maison. Erreur ! J'aurais dû y penser et prendre l'allée à droite, celle qui est la plus éloignée de la maison de Gabrielle. Les jumelles, Gabrielle, Marie-Pier et Charline sont devant moi, en ligne comme des policiers antiémeutes.

– Qu'est-ce que tu fais là ? me demande Malika.

– Rien… j'admire vos fleurs, je dis en me penchant vers un rosier.

– Tout seule, sur notre terrain et sans ta jumelle ? s'étonne Farah.

Elle a un excellent point. Je plisse les yeux. Rien de tel qu'une jumelle pour dire ce que pense et fait une autre jumelle.

– Ouais, ça nous arrive souvent de faire des choses différentes et sans l'autre.

– C'est pas vrai ! crie Marie-Pier. Vous êtes aussi inséparables que les doigts de la main.

Qu'elle est embêtante, cette Marie-Pier ! Elle n'aurait pas pu se fermer le clapet ? Mais qu'est-ce qu'ils font ? En cas de problème, Simon, Maxime et ma chère sœur étaient supposés faire diversion. Où sont-ils ? La réponse ne tarde pas à venir. Elle est derrière cette ligne antiémeute. J'ouvre grand mes yeux d'étonnement. Une fumée s'élève en avant de la maison.

– Il y a quelque chose qui brûle derrière vous, dis-je en pointant vers la fumée.

– Tout pour nous distraire, Saléna, me dit Gabrielle en me dévisageant sévèrement et en ne détournant pas sa tête.

– Non, non, je vous jure, quelque chose brûle en avant. C'est ce que je crois, je vois de la fumée, donc il doit nécessairement y avoir un feu.

Farah me fait une grimace. « Grosse conne ! » me fait comprendre son expression faciale. Puis, les sirènes des pompiers se font entendre. Les filles comprennent que j'ai peut-être raison. Elles se tournent et sont horrifiées de constater qu'une épaisse fumée grisâtre provient d'en avant. Malika est la première à courir vers le feu.

– Mais... mais... ce sont les rosiers qui sont en feu ! crie-t-elle.

En moins de cinq minutes, les pompiers mettent fin à cet incendie de la roseraie disposée en avant des deux fenêtres avant. Tout un attroupement entoure le camion de pompiers et regarde, incrédule, les arbustes calcinés.

– Incroyable ! dit un citoyen.

– Pas de source d'ignition, ni de présence d'accélérateurs. Intriguant, s'étonne un des pompiers en se grattant le cou.

– Il n'a pas plu depuis quelques jours. Les rosiers devaient être passablement secs, suggère un autre sapeur-pompier. Le reflet des rayons du soleil dans les grandes fenêtres a dû y mettre le feu comme le ferait une loupe sur un morceau de papier.

– Mais, intervient Farah, ma mère les adorait et les arrosait tous les soirs.

– Peut-être pas assez, dit-il en faisant signe aux autres combattants du feu de ranger le matériel. Bon, il faudrait appeler vos parents.

– C'est fait, répond la mère de Gabrielle. J'ai appelé leur mère et elle s'en vient.

Les jumelles Wolff regardent le désastre. Le verre des fenêtres a éclaté à cause de la chaleur et les puissants jets d'eau des pompiers ont arrosé l'intérieur de la maison.

Madame Wolff arrive seule dans la Porsche et est affolée en voyant ce gâchis. Je rejoins Simon, qui est de l'autre côté de la rue avec ma sœur et Maxime. Je le félicite pour la diversion totalement réussie et un peu trop arrosée par les pompiers.

– Mais je n'y suis pour rien, m'informe-t-il d'un air très sérieux.

– Quoi ?

– Je t'assure, Saléna, il n'y est pour rien, renchérit ma sœur.

– Mais…

Ils n'en peuvent plus. Ils rient et ma sœur se bidonne. Ils me faisaient marcher.

– En tout cas, les pompiers ont trouvé une jolie excuse un peu tirée par les cheveux, dit Maxime.

– Comme diversion, on ne pouvait pas mieux trouver, je rigole. Merci, Simon !

Simon rougit et hoche la tête.

– Ma méchante gang, ne me faites plus jamais marcher comme ça ! dis-je avant d'éclater de rire.

Chapitre 19

LA SUITE

Madame Wolff est inconsolable. Elle crie, elle hurle et elle s'allonge sur la pelouse. Les pompiers sont sans voix. Elle maugrée des « non » et des « ce-n'est-pas-vrai » ainsi que des « pas-chez-moi » et des « pas-mes-beaux-rosiers ». Je crois que les pompiers ne s'attendaient pas à une telle réaction. Une si jolie femme perd la tête pour un feu de rosiers ? Lorsque je vois notre mère traverser la rue, je crois de prime abord que ce n'est pas une bonne chose. Elle va se jeter dans la gueule du loup au sens propre et figuré. Elles n'ont pas, jusqu'à ce jour, développé d'atomes crochus.

Elle lui apporte un verre de jus d'orange et l'aide à se redresser. Ma voisine se relève et reprend ses sens. Elle est entourée de tout le voisinage, qui la prend en pitié.

Nous déguerpissons et retournons à notre lieu de prédilection : le terrain de Simon. À travers les troncs des thuyas, nous attendons la suite. Les jumelles semblent désemparées. Finalement, ma mère a bien fait de retrouver madame Wolff ; les jumelles ne peuvent nous accuser en présence de ma mère. Françoise et Patricia l'entourent. Je crois que tout le monde comprend son désespoir d'avoir des rosiers calcinés, des fenêtres cassées par le feu et un plancher de salon recouvert d'eau et complètement ruiné.

Tout le monde s'y met. Les seaux, les vadrouilles et les serpillères sont au rendez-vous. Ma mère décharge même l'épicerie de ma voisine pour la ranger à l'intérieur. Quelques instants plus tard, monsieur Wolff arrive en taxi. Sa femme court vers lui. Ensuite, mon père gare son auto près de la maison. Ma mère le rejoint.

– Je ne pensais pas qu'un feu de broussailles ferait tout un brouhaha dans le quartier, dis-je.

– Allons les rencontrer, suggère ma sœur. Ça va paraître suspect que nous ne soyons pas près d'eux.

– Tu veux dire qu'on se cache derrière des buissons, ironise Simon. On dirait bien que nous sommes les coupables.

Alors que nous nous approchons de la maison, un autre véhicule se gare devant chez les Wolff. Le conducteur a un gros appareil photo et s'avance vers les rosiers réduits en cendres pour prendre des photos. Il rentre dans la maison, donne sa carte et continue de photographier les lieux. Nous l'avons suivi et je dois reconnaître que le plancher et les meubles sont dans un piteux état. Les pompiers n'ont pas lésiné sur la quantité d'eau. On dirait qu'ils ont pris le salon des Wolff pour une piscine creusée à remplir. Mon père, qui a toujours un ruban à mesurer accroché à sa ceinture, prend les mesures de la pièce et des notes dans un petit calepin noir.

– Perte totale, le plancher est à refaire, conclut l'assureur.

– Ouain, dit mon père, je suis ébéniste, mais avant, j'étais poseur de plancher. C'est un travail d'au moins 6 000 $.

– Le prix est bon, dit l'assureur. Pourriez-vous le faire ?

– Certainement, se réjouit mon père. J'ai encore tous les outils pour faire ce genre de travail.

– Alors, ce sera 6 000 $ avec les matériaux et la finition.

– Hum… avec le sablage et deux couches de finition, je dirais plutôt 6 900 $.

– Si les propriétaires veulent conclure, moi, je suis entièrement d'accord avec ce prix. Il ne restera que le remplacement des fenêtres et du gypse.

– Le gypse, je peux le faire, d'indiquer mon père.

L'assureur, monsieur Wolff et mon père s'entendent pour un prix global et une date de fin des travaux. Madame Wolff est enchantée et remercie le ciel qu'un voisin puisse entreprendre les travaux dans des délais aussi courts. Ma mère est un peu moins enchantée. Elle soupire. Les jumelles Wolff non plus ne sont pas enthousiasmées et elles nous jettent un regard méchant.

– J'ai tellement de choses à préparer pour ce soir ! J'ai de la parenté et des amis qui s'en viennent. Nous fêtons le Lughnassadh.

– Qu'est-ce que c'est ? demande Patricia, très amie avec Sybille.

– C'est une fête où l'on célèbre la moisson. Le pain est l'élément le plus représentatif. Justement, il faut que j'en prépare, annonce-t-elle d'une voix brisée.

– Mais, ma chère Sybille, nous allons t'aider, annonce Patricia. Justement, Françoise est une excellente cuisinière et elle fait un pain croûté pas piqué des vers.

Sybille sourit. Elle les remercie et accepte leur aide. Ma mère n'est toujours pas délirante d'enthousiasme. Se sentant obligée de se joindre à elles, elle propose elle aussi de l'aider. Les hommes sortent le divan et les deux fauteuils irrécupérables sur le trottoir et moi, je me sens de trop dans cette maison ; je file par la porte d'en avant. Ma sœur et mes copains en profitent pour m'imiter.

– Jus de betterave ! Jamais je n'aurais pu imaginer un pire scénario, dis-je aux autres une fois à l'écart.

– En tout cas, dit Simon, ils ont toujours l'air de croire que c'est un phénomène naturel.

– Ouain, mais peut-être pas pour long-temps, je murmure. Les petites sorcières nous épient. Je sens qu'elles n'ont pas dit leur dernier mot.

Chapitre 20

SOIRÉE ÉTRANGE

La chaleur étouffante me réveille. Je me lève et je descends à la cuisine. L'air y est plus frais. Je me sens bien. Je prends un verre d'eau de la fontaine réfrigérée.

En passant devant la cuisinière, je remarque qu'il est 11 h 46. Je me dirige vers le salon avec mon verre à demi plein. De là, je peux admirer la rue éclairée en partie par les réverbères et la puissante pleine lune en cette dernière semaine de juillet. Je remarque une certaine animation en face, chez les voisins. Tout le rez-de-chaussée de la maison des Wolff est éclairé par des chandelles et je suis étonnée qu'il y ait autant d'animation chez eux après les fortes émotions qu'ils ont vécues en après-midi. Puis, je me souviens que Sybille a parlé d'une fête.

L'envie me prend de traverser la rue, sans même en aviser Samara. En pantoufles et en robe de nuit, je traverse la rue. La musique m'indique que l'action se passe plutôt à l'arrière, là où se trouve le joli jardin d'hiver en acier que ma mère appelle son *conservatory*. Chaque fois que je pense à ce *conservatory*, je repense à ma mère, qui en est follement amoureuse et qui aurait bien aimé acheter cette maison juste pour cette pièce. Malheureusement, les Beauséjour demandaient un prix trop exorbitant, bien au-delà des moyens de mes parents.

Arrivée près de cet endroit, je contemple les milliers de chandelles allumées à l'intérieur de la serre ainsi que l'architecture du bâtiment. Sous la lumière douceâtre de la pleine lune, les particularités de son architecture gothique semblent amplifiées. J'admire ses lignes fines et ses arcs élancés, si épurés et mystérieux.

Un peu plus loin, dans la cour arrière, plusieurs couples sont réunis avec leurs enfants. Je vois les jumelles Malika et Farah, qui ont revêtu, pour une fois, de jolies robes blanches et qui dansent pieds nus dans l'herbe, au lieu de porter leur éternel accoutrement noir et leurs grosses bottines. Des couronnes de fleurs blanches ornent leurs longs cheveux noirs qui volent dans le vent. Elles sont magnifiques. Elles ressemblent à de jeunes fées et je les envie.

Une dame plus âgée que les autres mène le bal. Elle pointe les bras vers le ciel. Un rayon lunaire illumine le pentacle doré qui brille sur sa poitrine. De sa voix cristalline, elle dit avec force :

– Il est temps de nous unir et d'implorer la lune des Prés, celle qui amènera l'enchantement, la santé, le renouveau, le succès et enfin la force.

Ces mots me charment et je me laisse bercer par eux et par la musique mélodieuse. Je sais que je ne dois pas rester là et que je devrais aller me coucher dans mon lit, mais… ce vent doux, cette pleine lune et ces chants mélodieux m'enivrent. Je suis fascinée. J'ai envie de prendre part à cette cérémonie dont je suis incapable de prononcer le nom. Sur une grande table, il y a de la nourriture, des chandelles et de l'encens. J'y vois des pains aux formes variées représentant des animaux, du maïs en épis et du vin.

La dame aux longs cheveux blancs met fin à la musique en fermant le lecteur de CD. Les gens cessent leurs activités pour se prendre par la main et se mettre en rond. Une grosse horloge au centre de la table sonne les 12 coups de minuit.

Poils de narine! il faut que je m'en aille, il est vraiment tard. Il faut que je quitte cet endroit.

L'attrait qu'exerce cette cérémonie sur moi est si fort que je me sens soudée au sol. Les gens dansent et chantent à haute voix. Ils semblent tous heureux. Certains frappent avec une mailloche sur un tambour de chaman. Les jumelles s'en donnent à cœur joie. Je les entends chanter plus fort que les autres. De peine et de misère, je me relève de ma cachette et je retourne chez moi.

J'ai bien fait d'agir, car aussitôt que j'atteins la porte d'entrée de ma maison, deux voitures de patrouille arrivent chez les Wolff. C'est probablement à cause de leur tapage à une heure si tardive.

En haut du corridor, je constate que tout le monde semble plongé dans un sommeil profond malgré l'arrivée des policiers et la lumière des gyrophares. J'ouvre la porte de ma chambre. Ma sœur dort profondément et sa figure est rayonnante. Je me glisse sous un drap de coton. Des images de centaures, de dragons et d'aventures hantent mon cerveau. Je sais. Il faut que cette pomme d'or soit remise à Centaura pour la guérison d'Adeline.

Et je repense à ce qu'a dit Lenka, la femme de Vatir : « Ils n'ont qu'un faible pouvoir ». Et puis, pourquoi suis-je attirée par les Wolff ? Pourquoi Maxime porte-t-il un si grand intérêt aux dragons et moi, à la Wicca ? Pourquoi suis-je allée chercher ce livre, *Zohar* ? Pourquoi ai-je épié cette cérémonie ? Quelque chose me dit que tout ça a un lien, mais lequel ? Le plus bizarre, c'est que je deviens comme Simon. Je crie des wow ! à l'intérieur de ma tête. J'ai déjà hâte de retourner sur la planète Arès, je m'ennuie déjà de notre sanctuaire au pic du Corbeau et j'ai hâte de faire une autre séance avec mes amis.

Chapitre 21

UN BRUNCH SENSATIONNEL

– Les filles, réveillez-vous !

C'est l'appel de notre mère, qui est dans la cuisine en train de finaliser le repas. Je déteste lorsqu'elle hurle comme ça d'en bas. Elle pourrait monter et nous réveiller doucement. Au lieu de cela, elle nous crie de descendre toutes les deux secondes. C'est pire durant l'année scolaire. Elle crie toutes les demi-secondes. Ma nuit a été écourtée et je n'ai pas envie d'entendre ses hurlements.

Nous descendons et il n'y a rien sur la table de la cuisine, ni sur la table de la salle à manger.

Pas de pain grillé, pas de jus d'orange, pas de café. Que se passe-t-il ?

– Venez, nous déjeunons à l'extérieur.

Nous la suivons. À notre grande surprise, notre mère s'est vraiment forcée. Une jolie nappe blanche recouvre une grande table centrale. Dessus, il y a des crêpes, une belle salade de fruits, du pain perdu saupoudré de cannelle, de grands pichets de jus d'orange, des croissants au chocolat, un réchaud pour le café, pour les œufs brouillés, pour les saucisses et le bacon, ainsi qu'un énorme bouquet de fleurs qui trône au milieu de la table. Au centre du terrain, il y a trois autres grandes tables rondes, elles aussi recouvertes de nappes blanches. J'en suis éblouie. Ah, maintenant, je comprends mieux son insistance pour que nous nous couchions de bonne heure, et je comprends aussi pourquoi mes parents se sont couchés si tôt hier au soir.

– Wow ! nous nous extasions.

– Super, maman ! dis-je. Mais pourquoi autant de tables ?

– Parce que j'ai invité mes amis. Vous rendez-vous compte ? C'est notre premier dimanche avec de l'électricité. Je voulais fêter ça avec nos amis en faisant un super brunch. Je dois dire que j'ai eu cette idée lorsque j'étais avec madame Wolff et les autres voisines en train de l'aider. Je n'ai pas pu m'empêcher de toutes les inviter.

– Toutes ? je m'exclame.

– Il semble qu'elles viendront toutes !

Je vois Simon passer par le trou de la haie tandis que ses parents arrivent par la voie normale, à savoir le trottoir. Puis, c'est au tour de Maxime et de ses parents d'arriver. Ma mère nous fait signe de nous asseoir à la table du fond. Je vois qu'il y a neuf couverts à la table alors que nous ne sommes que quatre. Ma mère a le sourire fendu jusqu'aux oreilles et nous regarde. Je sens qu'elle a manigancé quelque chose d'autre, hier chez les Wolff. D'autres personnes arrivent et sont très animées. Eh oui, ma mère a invité nos anciennes amies. Les trois arrivent timidement à notre table.

– Est-ce qu'on peut s'asseoir avec vous ? demande Charline.

Je ris jaune. « Ai-je le choix ? » je pense.

– Mais bien sûr, j'ironise.

– Je ne pensais pas un jour être assise près de Simon et de Maxime, dit Gabrielle en se tirant une chaise doucement.

– Moi, non plus, ricane ma jumelle. Eh bien, fêtons notre amitié !

– Oui, c'est ça ! dit Charline en levant son verre de jus d'orange.

Marie-Pier, habituellement si volubile, est très silencieuse et ne participe pas à la trinquée. Samara le remarque et elle lui demande :

– Tu ne veux pas fêter avec nous ?

– Bien sûr que oui, mais j'ai tellement fait de conneries, ces derniers temps, répond-elle en baissant les yeux.

– Comme quoi ? je demande.

– C'est moi qui ai parlé aux jumelles Wolff en premier. J'étais en colère contre vous et je voulais me faire de nouvelles amies. Mais…

– Mais quoi ? je demande.

– Malika et Farah ne sont pas comme vous. Elles n'aiment qu'elles, et pas les autres. Je m'en suis vite rendu compte. Mais comme je ne voulais pas paraître stupide, je vous ai fait croire que nous étions des amies et que nous avions formé le club Zohar.

– Quoi ? je ricane. Le club Zohar n'existe pas ?

– Non, c'est une invention. J'ai pris ce mot tout à fait au hasard. J'ai vu ce mot écrit en gros caractères sur la couverture d'un livre chez les Wolff, sur la petite table dans la serre. Je trouvais que ça sonnait bien.

– Ça alors ! s'étonne Samara en me faisant un sourire complice.

– Mais vous vous êtes tenues avec elles un bon bout de temps, non ? je la questionne.

– En fait, nous n'avons même pas tenu une journée ! soupire Marie-Pier.

– Ben, dis-je en faisant un clin d'œil à ma sœur, on s'en doutait, mais nous n'étions pas sûres.

– C'est vrai ? s'écrie Charline.

– C'est vrai ! renchérit ma sœur.

– Alors, est-ce qu'on fait encore partie du club ?

Oh ! là ! là ! Ce n'est plus possible. Il faut que je trouve rapidement quelque chose pour les en dissuader.

– Ça dépend, je dis. Il y a deux conditions.

– Lesquelles ? s'empresse de demander Marie-Pier avec des yeux pleins de larmes.

– L'épreuve du jalapeño.

Elles grimacent toutes.

– Et l'autre ? s'enquiert Gabrielle.

– Il faut accepter Simon et Maxime.

– Ah ! Ça ! C'était déjà fait, dit Charline. Depuis votre foudroiement, on a bien vu que vous aviez tissé des liens d'amitié qu'on ne pouvait dessouder.

Simon et Maxime sourient.

– Et pour les jalapeños ? je redemande.

– On fera un effort.

Ma mère vient à notre table.

– Les amis, vous ne mangez pas ? J'ai beaucoup de bonnes choses, dit-elle en nous apportant un bol de salsa. Votre père voulait des tortillas, du porc sauté et de la salsa. J'en ai mis sur la table.

– Moi aussi, j'en veux, crie Simon. J'adore la salsa.

Nous courons et nous emplissons nos assiettes de tortillas, de porc sauté, d'œufs brouillés, de salsa, de guacamole, de feuilles de coriandre, de tranches crues de jalapeño et de lime. Nous rions et savourons ce déjeuner plein de soleil et d'énergie.

Puis, vers la fin de notre deuxième assiettée de victuailles, mon père nous apporte un mousseux non alcoolisé. C'est vraiment la fête. Nous n'arrêtons pas d'entrechoquer nos verres en criant : « À nos amitiés ! ».

Même si j'ai l'estomac aussi dur qu'un roc après avoir mangé autant, je termine mon repas par un bon croissant au chocolat avec un chocolat chaud. Tous les sept, nous courons autour de la maison. Je panique lorsque les jumelles d'en face traversent la rue et foudroient du regard mes ex-amies redevenues mes amies.

Elles regardent particulièrement Marie-Pier. Pendant un instant, je crois voir son visage blêmir. Mon petit doigt me dit que Marie-Pier ne nous raconte pas tout. Elle a son jardin secret, qu'elle partage peut-être bien avec les Malphas. Et je me demande bien ce qu'elle peut nous cacher. Leur a-t-elle raconté que j'ai un pouvoir de transformation ? Ou peut-être nous a-t-elle surpris lors de nos escapades dans l'autre monde ? Une fille avisée en vaut deux. J'en informerai le reste de mes amis et resterai sur mes gardes.

Ma mère et nos voisines desservent les tables lorsque madame Wolff fait à son tour son apparition dans la cour arrière. Elle ne semble pas contente. Ma mère lui sourit.

– Désolée, nous avons fini. Nous vous avons attendus, dit ma mère.

Je comprends que les deux couverts non utilisés à notre table étaient pour Malika et Farah. J'ai une larme. Ma mère a vraiment fait un effort. Elle a fait fi de ses sentiments hostiles pour les inviter. Je suis sidérée et j'admire ma mère. Par contre, Sybille ne semble pas partager les mêmes émotions d'amitiés. Elle est furieuse et brandit un bras en l'air en criant :

– Qui a appelé la police hier au soir ?

Mes parents se regardent.

– Pas nous ! répond mon père.

Elle abaisse son bras et le dirige vers moi. Je fige sur place et une idée saugrenue me traverse la tête. Elle a à peine fini de pointer son bras vers moi que quelque chose traverse le ciel et tombe à ses pieds. Elle est comme foudroyée et regarde cet étrange objet qui s'est enfoncé dans la pelouse bien rasée de mon père.

– Qu'est-ce que c'est ? crie Patricia.

– Un météorite ? suppose Gilles.

Les adultes font un rond autour de l'objet. Je faufile ma tête entre mon père et ma mère et je regarde la météorite aux formes rondes et aux couleurs brunâtres.

– Bizarre ! murmure Patricia, on dirait bien…

– Du crottin de cheval, déduit mon père.

En entendant ce mot, madame Wolff s'évanouit.

Chapitre 22

LE MOT DE LA FIN

L'étrangeté laisse le reste de l'attroupement sans voix. De toute évidence, c'est bien un morceau de crottin de cheval qui est tombé du ciel. Mon père prend la parole pendant que Patricia éponge le front de Sybille, qui a repris ses sens et qui est assise sur une chaise longue. Les deux jumelles l'entourent et gémissent.

– Monsieur le maire nous a bien avisés qu'il pourrait bien y avoir encore des phénomènes étranges à cause de l'Événement. Du crottin de cheval qui tombe du ciel, c'est assez inusité, dit mon père. On a eu des geais bleus qui ont attaqué les poubelles, le hangar municipal qui a explosé de lui-même, et hier, la combustion spontanée de vos rosiers. Et maintenant, on a du crottin de cheval qui tombe du ciel.

Ma jumelle et moi essayons de ne pas rire. Le morceau de crottin de cheval est passé à un cheveu de son visage. C'est trop loufoque. Je fais de grands signes avec mes sourcils à ma sœur. Nous nous détachons du groupe.

– Eh bien, c'est ma faute. Lorsque je l'ai vue si fâchée, je ne sais pas pourquoi, j'ai pensé aux centaures et j'ai demandé de l'aide. Toutefois, je ne pensais surtout pas que cette aide serait aussi directe et aussi, euh… dégueulasse.

Nous pouffons de rire et j'en ai les larmes aux yeux.

– Tu as tout un pouvoir, ma sœur !

– Toi aussi. C'est trop amusant !

La foule se disperse de façon naturelle, et Simon et Maxime nous rejoignent. Profitant du fait que mes parents ne se sont pas encore remis de leurs émotions, je saisis quatre jalapeños sur la table et je demande la permission de quitter les lieux. C'est sans poser de problèmes qu'ils acceptent.

Nous sommes dans la grotte. Simon nous montre la baguette qu'il est allé chercher chez lui.

– Elle est drôlement belle, dis-je en admirant la finesse d'exécution de l'objet.

Elle est effilée et mesure près de 40 centimètres. Des motifs de lierres et de feuilles sont sculptés sur la moitié de sa longueur. Je la trouve très jolie et lorsque je projette mon bras en la tenant très fermement, je ressens une vibration étonnante. Je la remets à Simon.

– Il m'en faut une, lui dis-je. Il nous en faut tous une.

– Ouais, dit Simon. Je sais. Lorsque je la tiens, j'ai l'impression que ma puissance est augmentée. J'ai l'impression de tenir une baguette magique. C'est trop wow !

Maxime et Samara essaient à leur tour et ils sont tous aussi enthousiastes que Simon et moi.

– Il nous en faut une, dit Samara. Je me sens tout à fait sorcière.

– Je crois que chaque objet et chaque fait ont une importance, dis-je. Je crois qu'il faudra perfectionner notre art.

– Mais comment ? demande Simon.

– Tout comme les crayons de Samara, nous sommes contaminés, j'ajoute sous les regards surpris de chacun. Nous devons trouver un rituel qui pourra nous décontaminer, et je crois que les rituels, comme ceux de la Wicca ou le Zohar, sont de bons points de départ.

– Mais comment peut-on développer ces rituels ?

– Il suffira de s'y mettre, dis-je en continuant. Tout autour de nous, nous avons des signes évidents, que ce soit nos voisins ou les piments qui nous donnent de la force, et d'autres moins évidents, comme nos pouvoirs. Je suis sûre que la solution est en nous. Nous devons trouver ce qui nous ressemble, ce qui nous convient.

Tous les quatre, nous dégustons les piments, joignons nos mains et fermons les yeux. Nous nous sentons légers, comme dans un autre monde. « Wow ! » je me dis.

Ne manquez pas la suite

TOME 3

RÉVÉLATION

De la même auteure

TOME 1

TOME 2

TOME 3

TOME 4

TOME 5

TOME 6

TOME 7

A STRANGER'S KISS

May, 1849. Sara Osborne has received a strange plea for help from her friend Amelia in Cornwall. Concerned, she travels to the imposing cliff-top house of Ravensmount. There, she meets Tobias Tremaine — whom Sara believed to be Amelia's husband. But Tobias claims they never married — and Amelia is missing . . . The mystery deepens as Sara meets Tobias's strange siblings and their father, Abraham. But how does the enigmatic Tamsin fit into the family? What is the secret of Amelia's music box? And will Sara succumb to a stranger's kiss?

Books by Rosemary A. Smith
in the Linford Romance Library:

THE AMETHYST BROOCH
THE BLUEBELL WOOD
THE BROODING LAKE

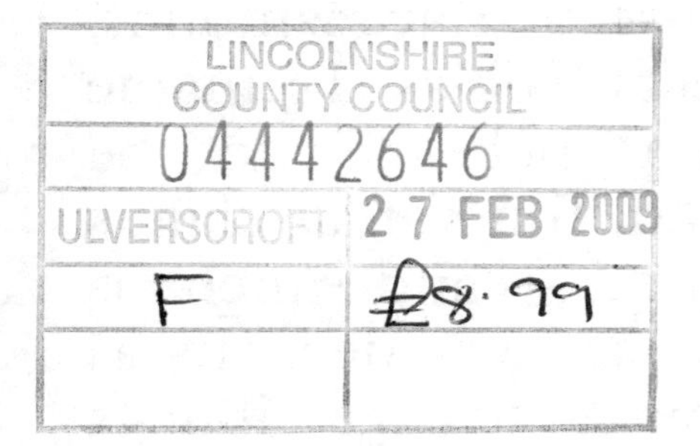

ROSEMARY A. SMITH

A STRANGER'S KISS

Complete and Unabridged

LINFORD
Leicester

First published in Great Britain in 2007

First Linford Edition
published 2008

British Library CIP Data

Smith, Rosemary A.
A stranger's kiss.—Large print ed.—
Linford romance library
1. Cornwall (England : County)—Fiction
2. Love stories 3. Large type books
I. Title
823.9′2 [F]

ISBN 978–1–84782–073–0

Published by
F. A. Thorpe (Publishing)
Anstey, Leicestershire

Set by Words & Graphics Ltd.
Anstey, Leicestershire
Printed and bound in Great Britain by
T. J. International Ltd., Padstow, Cornwall

This book is printed on acid-free paper

1

It was the 24th of May 1849, what a way to spend my twenty-first birthday, a birth date I shared with Queen Victoria. The coach pulled by four greys rattled along the tracks of Bodmin Moor, taking me ever nearer to my destination of Ravensmount near the Lizard in Cornwall. I looked at my maid, Tilly, and her head lolled on the glass window, her pink lace bonnet askew on her dark ringlets, her chest rising and falling as she slept.

At least she could sleep I mused, whereas I had hardly slept since I received my friend, Amelia's, letter some four weeks ago. I could hear Amelia's voice, 'Sara, I am to be married!' she had said last September, her words followed by her gay laughter, 'But I am to live in Cornwall,' she said quietly, her final words to me being, 'I am deliriously happy.'

Until four weeks ago I had not heard from her in spite of my having written to her frequently at Ravensmount, nor had she told me of Tobias Tremaine, the man she had married, except to say that he was devilishly handsome and was the master of his home Ravensmount in Cornwall.

As the never ending moor passed slowly by the window and grey skies brooded over us, our only companion was a stout middle-aged woman who snored incessantly irritating me somewhat. I reached once again into my reticule for Amelia's letter, unfolding it slowly I looked again at the words I'd read at least a hundred times before.

Dearest Sara,

Please come to me for I fear I am being poisoned, someone wants me dead. In a house full of strangers I know not who the perpetrator is. I beseech you, indeed implore you, please come soon or I feel it will be too late.

Your friend,
Amelia.

The words were few, but I could sense the urgency and distress with which they had been written and had wished to rush down to her straight away, but Mama and Papa would not hear of it. Our home in Bath was a fair distance from the desolate countryside in Cornwall, it had taken nearly four weeks to persuade them to let me travel with Tilly as chaperone. As I thought of her Tilly stirred and looked at me sleepily.

'Are we nearly there, Miss Sara?'

'We can't be too far now.' I pacified her, for Tilly had loathed the journey, the swaying of the carriage had made her feel nauseous and the lodging house we had stopped in at Exeter last evening had not been to her liking.

'I slept on straw, Miss!' she told me somewhat indignantly this morning.

Looking at my fob watch pinned to the bodice of my pale green dress I could see it was twelve noon. We had been travelling for three hours so had at least two more hours to travel until we reached our destination.

The coach suddenly jolted to a halt. Looking at Tilly I could see her hand clapped to her mouth, she obviously felt ill once more.

'Come Tilly, we are to stop for refreshment,' I coaxed as the door of the coach was opened admitting well needed fresh air.

'I couldn't eat a thing, Miss,' she said quietly.

'Maybe a cup of tea would revive you,' I said gently as we were helped out of the coach into a small courtyard. As we walked towards the small stone built inn, with the welcoming sign of the Travellers' Rest, our skirts swished on the gravel beneath our feet and I felt my head starting to pound. Lack of sleep and worry about Amelia was taking its toll.

Seated on a wooded bench in the dimly lit room of the inn by a fire which was needed as the place smelt damp and musty, I pulled my cream fringed shawl tighter around me.

'Where are you travelling to?' the lady who was our companion and sat opposite us addressed me for the first time. She had boarded at Exeter and had promptly fallen asleep. Her voice was cultured which belied the simple royal blue serge dress she wore, the skirts of which revealed her voluminous somewhat grubby petticoats.

'We are bound for the Lizard and a house called Ravensmount,' I answered politely.

'May I ask your name?' she enquired softly.

'Why yes, it is Sara, Sara Osborne, and this is my maid, Tilly,' I said introducing us and expecting a name in return.

'Tilly needs ginger wine to settle her stomach, and some sustenance like bread and cheese,' our nameless companion offered. 'Give me your hand, Sara,' she asked unexpectedly.

I removed my cream-coloured glove and offered this stranger my right hand. The hand which took my cool one was sweaty and hot and I had a feeling of revulsion as she turned my hand over, staring intently at my palm.

I wanted to pull away from her strong grasp, but at the same time was curious to know what this woman would say. For some minutes she studied my hand, her curly blonde hair was all I could see as she bent over intent on what she was thinking.

'You have a long lifeline, but it has a break in the middle, which I foresee as danger in the not too distant future,' with which words she let go of my hand.

'Is that all you can say?' I asked, disappointed and trembling at the same time.

'I strongly advise you not to go to Ravensmount.' As she spoke she leant towards me and whispered, 'or at the very least, do not spend a night there or you will be drawn into a spider's web. Take heed young woman for I have *The Sight*.'

Silence between the three of us

ensued after this revelation, needless to say I partook of little although I did order Tilly ginger wine and she ate her bread and cheese as I instructed. The woman never spoke again, although she watched me, her insipid blue eyes regarding me even while she ate.

Settled back in the coach, the changing scenery from moor to countryside drifted lazily by with the sun now shining in a clear blue sky. I mulled over what the woman had said, glancing at her I could see I was no longer the object of her scrutiny for she too looked from the window. Not another word had been said and when the coach halted for her to alight I panicked and spoke to her as she stepped to the ground.

'What is your name?' I called some shrilly.

'Tamsin,' she said hesitantly and I knew she had nearly said more, her eyes searched mine and in that brief moment I could see the beautiful woman she had once been. Then she was gone, disappearing through the streets of the small village, a carpet bag in her hand.

'Have we far to go?' I asked the ostler before he shut the door once more.

'About twenty mile I reckon, Miss,' he replied in his Cornish brogue, a language quite unfamiliar to me.

I sat back in my seat and like Tilly, drifted off into an agitated slumber. Thoughts of Amelia laughing gaily and images of brightly coloured potion bottles and spiders' webs were all mixed up and whirling around in my head. Then I was caught in the web, my hands flailing frantically to claw my way out of the tangling mesh, but I couldn't escape and a petrified scream escaped my lips which served to wake both Tilly and I up with a start.

'Whatever's the matter, Miss?' Tilly asked softly, her arm around my shoulders.

'Just a bad dream,' I uttered, my body and voice trembling.

I smoothed my green skirts with my

hand and gathered myself together. Sitting up straight I looked from the window. The coach had slowed down as we were on a precipitous winding track climbing slowly to the top. I could see the sea glimmering in the sunlight on our right and was painfully aware of the sheer drop to the shingle below.

'Oh my Gawd, Miss!' exclaimed Tilly, clapping her hand to her mouth.

'Don't worry,' I soothed, feeling anything but calm, 'I'm sure the good man has done this many times before,' so saying I silently said a prayer. With some relief we reached the top of the hill where the track widened and then I saw it, a gasp of surprise escaping from me.

A massive grey stone building with two crenellated towers, one at each end lay before me. Built on a promontory, the front of the house faced the afternoon sun. I was overawed by the size of it and as the coach came to a halt a few moments later by two large stone pillars a large stone bird sat on top of each, I guessed this to be Ravensmount.

The door of the coach opened and I could smell the salty sea air, reminding me of Weston-super-Mare, the only seaside place that I had visited. Whereas Weston was a thriving place with a promenade, here we were in the middle of nowhere.

My trunk was placed by a stone pillar in the shelter of a tall hedge, two of which lined the short drive. From where I was standing I could see the imposing tower which made up this end of the house. Tilly and I walked up the short drive, as we reached the front of the house a host of large black ravens swooped and squawked, whirling above our heads settling on the far tower. Tilly ducked her head.

'Please, Miss, I want to go home,' she wailed.

'Don't be foolish,' I chided her, 'it is only a few ravens.'

Before we climbed the five wide curving steps to the door I stepped back to look at the house, even as I looked the many leaded windows glinted in the sun, akin to a row of candles burning on a dark winter's night. Without warning the sun disappeared, turning to look I could see the black cloud which covered it momentarily.

Everything looked different, the house took on an austere menacing look and I prayed this wasn't a bad omen. As I thought it the sun reappeared and I told myself not to be fanciful. Reaching the large oak door with Tilly at my side clutching her luggage I didn't get the chance to ring the large bell. The door was opened to reveal a tall, gaunt looking woman with dark greying hair drawn back off her unsmiling face. She was dressed in brown with a large bunch of keys at her waist.

'I knew you were here, the ravens always tell us when we have a visitor.' She spoke in a firm measured voice. 'What can I do for you?'

'I'm Amelia's friend and have come

to visit, I did write so she will be expecting me,' I explained.

The woman hesitated before she spoke, looking past me at Tilly who cowered behind me, and I set to thinking that my maid had been a bad choice for a companion.

'You'd best come in and I'll fetch the master,' she said grudgingly, 'but your maid will have to come with me to the kitchen.' The door was drawn back and I entered the vast hall, highly polished dark floorboards covered by small brightly coloured rugs shone in the sunlight.

In the centre, a wide curving staircase with a polished banister beckoned to the upper floor, the odour of beeswax lingered in the air. To the left of the staircase I could see two wide wooden steps with a long wooden table beyond, it was all quite opulent and indeed not as I had expected.

'May I ask your name?' I ventured.

'I'm Mrs Mallory, the housekeeper,' she replied curtly. 'Please take a seat while I take your maid to the kitchen.' As she spoke she indicated a wooden chair by the doorway.

'Please come with me,' instructed Mrs Mallory on her return. She led me to a large oak door, on opening it I stepped into a sumptuous drawing room, wine-coloured velvet curtains hung at the long window from which the sun streamed through. 'I'll fetch the master, Miss,' and Mrs Mallory left me.

I looked around the room taking in the small polished tables on which stood various bric-a-brac and I noted the large wide stone fireplace, the mantle of which was again draped with wine-coloured velvet on which stood a large onyx clock graced by a china dog at each end.

The door opened quietly behind and I stood up. Was I about to meet my friend's husband at last, I asked myself? I turned with my back to the fireplace as a tall dark-haired man stepped into the ray of sunlight, I was at a disadvantage as the sun fell in my eyes, but my heart missed a beat as I looked at this handsome stranger.

His eyes surveyed me as well, from my blonde hair, curls of which were visible under my pale green bonnet and my green eyes beneath which were sweeping over him, colour suddenly suffused my cheeks and I felt hot and uncomfortable praying that he had not noticed.

'Please be seated, Miss?' he queried, and realised that he did not know my name.

'Sara, Sara Osborne,' I offered in a quavering voice as I sat once more on the settle.

'Miss Osborne, I am Tobias Tremaine. I understand you are a friend of Amelia's.' He stepped out of the sunlight as he spoke and I could see him more clearly. He had a handsome suntanned face with sparkling black eyes and his black hair curled appealingly at the nape of his neck.

'Yes,' I stammered after what seemed minutes following his question, and I felt foolish urging myself to pull myself together. 'You are Amelia's husband?' I asked in a far steadier voice.

He didn't answer for some time, but when he did his words surprised me.

'No. Amelia and I did not marry for many reasons, the main one being that she loathed this house,' he said quietly.

'But,' I stammered, 'she led me to believe you are married, and four weeks ago I received a letter imploring me to come to her.'

'Then you are on a fool's errand, Miss Osborne,' he informed me.

'And why pray is that?' I countered.

'Because my dear Miss Osborne, your friend, Amelia, disappeared two weeks ago.'

2

'Disappeared?' I repeated the word with disbelief in my voice, confounded by these revelations, hardly believing Amelia would lie to me let alone disappear. What had happened within the walls of Ravensmount to turn a happy carefree young woman into a frightened dishonest one? 'And has she taken her possessions with her?' I continued, determined at that moment to unravel this mystery. Tobias looked down at me.

'A couple of gowns and night attire,' he said in a measured voice. 'Everything else is in her room as she left it.'

'Then she must intend to return for it,' I said with triumph at last thinking positively. Then another thought occurred to me. 'Did Amelia receive the letter I sent informing her of my plans to visit?'

'There was a letter, Miss Osborne,

but it remains unopened. I will fetch it for you.' As he spoke he strode from the room, returning immediately with a letter in his hand which he passed to me. It was indeed the one I had sent, I turned the cream-coloured envelope over and over.

'Did Amelia know this was here?' I queried.

'No, she vanished the day before it came,' he replied. 'I must tell you Miss Osborne, that I have endeavoured without much success to trace your friend.'

'I'm confident you have, Mr Tremaine,' for indeed I was. 'Now, if I can be reunited with my maid, I will make arrangements to stay somewhere overnight.'

'You've travelled far?' he asked, surveying me as he spoke and not giving me a chance to answer. 'Silly question, Miss Osborne, I would not dream of you leaving without some hospitality, apart from which it is some four miles to the nearest hostelry, which is of dubious recommendation. You must stay here, Miss Osborne, for tonight at least.'

'But,' I commenced to protest.

'I will not take no for an answer.' As he spoke his black eyes sparkled and I thought for a second time what an attractive man he was.

'Very well, Mr Tremaine, I accept your offer,' I conceded, rising to my feet. How I longed to remove my bonnet I thought and wash away the grime of today's travel.

'Splendid. I'll ring for Mrs Mallory.' So saying he pulled the bell by the fireplace. 'Luggage?' he queried smiling.

'Why yes,' I stammered, 'my travelling trunk is deposited by the gateway.'

'It shall be fetched for you forthwith.' As he spoke the door opened, it wasn't Mrs Mallory who stood there, but a beautiful dark-haired woman dressed in a powder blue day dress with pearls at her slender throat. She stood in the open doorway looking at us expectantly.

'Miss Osborne,' said Mr Tremaine,

'may I introduce you to my sister, Rosalind.'

As he spoke Rosalind moved gracefully towards us.

'Please tell me, brother, who is this charming young lady?' Her voice was soft as she spoke and I observed she had the same black glittering eyes as her brother. Her dark hair fell in soft ringlets each side of her lovely face.

'Miss Osborne is a friend of Amelia's,' he said. At his words a brief expression of dismay crossed her face, but just as soon was replaced by her beautiful smile.

'Welcome to Ravensmount, I'm only sorry that Amelia is not here to greet you herself.' Her voice was still soft, but somehow reticent.

'I've offered the young lady our hospitality for the night, Rosalind,' said Tobias.

'Quite right too, brother. I shall take her to the rose room which is always ready for unexpected guests.' Both sister and brother looked at each other as Rosalind spoke, trying to convey some unspoken sentence to each other I felt.

Then I broke the spell. 'This is very kind, and my maid, Tilly?' I questioned, needing to know that she was taken care of also.

'Your maid can share with Emily for a night or two, indeed you are welcome to stay for as long as it pleases you.'

'I wasn't sure if this statement of Rosalind's was true and as I followed her up the red thickly carpeted staircase and along the wide airy corridor I set to wondering if I was indeed being lured into a spider's web.

We stopped outside a door at the end of a corridor, Rosalind opened it and we stepped inside, the room was not as I had expected and I had a sharp intake of breath. The panelled walls of the large room were white, rose brocade curtains hung at the long window falling to the floor. The huge carved four-poster bed was adorned with the same rose brocade and the late afternoon sun spilled across the rose-coloured carpet.

A white marble fireplace faced the doorway, the coal and kindling wood laid ready to light in the black grate, pink and white ornaments stood in profusion on the mantel.

'What a charming room,' I enthused, speaking to Rosalind who still stood by the open doorway. As I spoke I removed my bonnet, laying it on a small embroidered chair by the door.

'Why thank you, it is one of the nicest bedrooms at Ravensmount and was at one time occupied by our mother.' At these words an expression of sadness crossed Miss Tremaine's face, but it quickly changed and she smiled at me. 'I have no idea of your christian name.' She continued moving further into the room standing by the window, the rays of the sun surrounding her in a warm glow.

'It is Sara,' I answered, 'and I would be most pleased if you would address me as such.'

'Then I will, Sara,' and she came across taking my hands in hers briefly, hands which were cold in spite of the warmth of the room, 'you are nothing like your friend, Amelia,' she said suddenly turning to look out of the window.

'No indeed,' I replied. 'Amelia was as dark as I am fair, also pretty and vivacious.' Silence followed my words for a couple of minutes after which Rosalind turned to me.

'What do you know of Amelia's background?' The question was unexpected and I realised that I knew little about her for we had only met three years ago at a finishing school for young ladies in Bath.

'I know little of her background except that she lived with her uncle and aunt a short way from Taunton and had done so since she was a baby.' In truth this was really all I could say about her.

'So she is a mystery to you, Sara.' Rosalind's words were true I realised. My friend was indeed a mystery to me. I'd never thought of it before, having enjoyed Amelia's company and friendship.

'Yes, I suppose she is,' I said quietly, 'but I am worried about her wellbeing and have every intention of finding her.'

'Well, I wish you well in your quest, Sara, and now I will arrange for water to be sent up and some refreshment also, for you must be parched on such a warm day.'

These words dismissed any further talk of Amelia and I had the strongest feeling Rosalind was relieved in some way, for her manner had changed and she seemed more relaxed.

As Rosalind went to leave I asked, 'Which room did Amelia occupy?'

For some seconds there was no reply. 'The room opposite yours on the other side of the corridor, but no clues will be found there,' with which words the lovely Rosalind left me.

My first thought was to look out the window, where I could see that I was at the front of the house not far from the huge tree, where the ravens sat in rows on the thick branches obviously awaiting the next visitor. The sea beyond sparkled in the sun stretching to infinity.

The fact that Amelia had not married the handsome Tobias was indeed a shock and now she had vanished and in what state of mind? And what did I really know about my friend? And why had she not written to me until the pleading missive I had received four weeks ago?

What had happened in that short time? And indeed what had happened since she had arrived at Ravensmount last September? My thoughts were interrupted by a tap at the door and Tilly entered with another young maid dressed in a white mob cap and apron over a grey cotton dress. 'Why Tilly,' I exclaimed, 'you look happy.'

'I am Miss, this is Emily.' She introduced the young girl who was a slip of a thing with brown hair perilously escaping her mob cap. They'd brought me jugs of water which they tipped into a beautiful pink bowl on a washstand by the bed.

'Thank you, both of you.' As I spoke they stopped chattering amongst themselves.

'We'll fetch you a tray of tea now, Miss,' Tilly informed me as they both practically skipped out of the room giggling as they went.

I had a well needed wash with a fluffy flannel, soap and towel which lay in readiness on the marble topped washstand, after which I went to the white dressing table set between the window and the door. On each drawer were small oval paintings of young women of a past age, all plump and bonny, dressed in low cut dresses with short puffed sleeves. On the glass top was a pink glass tray with matching candlesticks and trinket boxes decorated with pink roses.

I reached for the hairbrush and tidied my hair looking at my reflection in a bevelled glass mirror which was handsomely engraved with brightly coloured birds sat on branches of trees. It was then in the mirror that I caught sight of the portrait over the fireplace, strange I'd not noticed it on entering the room. I turned around and walked towards it, the picture was in a gold leaf frame, not large, but not small either.

I gazed at the young dark-haired woman depicted on the canvas, she stood sideways, but her cream face looked towards me, the dark sparkling eyes fringed by long dark lashes, her coal-black hair arranged perfectly back from her face. She wore a white low cut gown and a white fringed shawl was draped over her arms.

I was intrigued as she looked almost familiar and I searched my mind as to why, but no matter how hard I tried the answer eluded me. A sudden thought came to me. While all was quiet I would take a peep in Amelia's room. I could see the bedroom door almost opposite mine and swiftly I walked across to it and turned the large enamelled knob, but to no avail, no matter how much I turned and shook the door would not budge and I realised that for some strange reason it was locked.

Deciding I did not wish to be in my room for the rest of the day, I walked back along the corridor. Before I reached the main staircase I spied a small wooden one at the same side as my room. This must lead to the back of the house I reasoned, and with that thought in mind I lifted my skirts at the front and made my way down the steep steps which twisted to the left and led into a dark dismal corridor quite unlike the one I'd just walked down.

There was a studded metal door on the left which reminded me of a prison. I shuddered at the thought and walked on feeling quite cold in the damp atmosphere. Thankfully there was a door ahead of me and I could see chinks of daylight through the cracks in the wood. As I opened it I was startled to bump headlong into a man who caught my arms to steady me.

'Why, Mr Tremaine,' I uttered, 'I am

sorry, I wished for some fresh air.'

'Do I know you?' he queried setting me at arms length and I realised foolishly it was not Tobias Tremaine, but he was so like him I could be forgiven for my mistake. As I looked over his shoulder through an arch of honeysuckle I caught sight of a young woman.

'Amelia!' I called loudly, for I was certain it was her. 'Amelia,' I reiterated, but my captor, for that it what it seemed, restrained me from running after her and tears of frustration filled my eyes as I looked into the dark ones of the man who held me against my will.

'Please let me go,' I pleaded with annoyance, wriggling to try and set myself free, but he held my arms tighter and with one first had caught hold of my wrist. 'How dare you?' I almost spat at him.

'I have no intention of letting you go until you tell me who you are and what you know of Amelia?' By his voice I could tell he was amused and I fought harder, bending suddenly to bite the hand which held fast my wrist so tightly it was painful but I only managed to graze his skin.

'Blast you!' I shouted.

'Young lady, I have no intention of harming you, just tell me who you are, for you could by logic be an intruder.'

'My name is Sara Osborne,' I obliged him, 'and I am a friend of Amelia's. Tobias Tremaine has offered me a room for the night, as I appear to have travelled all the way from Bath today on a fool's errand.'

'Have you indeed,' he said quietly. 'Now I am going to release you and I beg you not to run from me.' As I struggled once more he held me tighter. 'Promise?' he said laughing.

'I promise,' I conceded, for my wrist was sore and as he released me I could see how red it was from his strong grip and I smoothed my hand across it gently, all the while meeting the dark eyes of this stranger who stood watching me with some amusement.

'I apologise profusely,' he said quite sincerely, 'but you could have been anyone.'

'I really don't know if I can accept that apology, Sir, and now I've told you who I am, may I ask the same of you?' and realised that I spoke with a trembling voice, the whole incident had upset me far more than I cared to admit.

'Miss Sara Osborne,' he said startling me by taking my hand and kissing the back of it, 'I am Michael Tremaine, Tobias' brother.'

'Well,' I said in confusion, 'I'm not going to say I'm pleased to meet you for I can't say that I am.'

'Let me redeem myself, please, Miss Osborne, and walk with you in our beautiful garden,' he implored, the amusement leaving his voice.

'Very well, if you must,' I agreed, 'for I am in need of some fresh air.' Michael crocked his arm for me to take which I did with little grace.

We stepped through the arch of the honeysuckle into a garden which took my breath away. The heady fragrant scent of dog roses invaded my nostrils and the garden before me was wild and beautiful.

I wondered momentarily what other surprises Ravensmount would hold as Michael Tremaine led me to a stone seat set on a small grass lawn from where I could see a small wooden bridge which spanned the tiniest of streams.

'So you like our garden?' my companion asked as I seated myself on the stone seat decorously arranging my green skirts.

'Yes, it is beautiful,' I said honestly as Michael sat beside me.

'I feel, Miss Osborne, that we have started on the wrong footing,' he said softly reminding me of Rosalind.

'I fear so, Mr Tremaine, but there isn't anything that can't be mended,' I assured him smiling and thinking how like his brother he was.

'You don't know how relieved I am to hear you say that.' As he spoke Michael laid a hand gently across mine. 'Now tell me,' he continued, 'what you know of Amelia. And did you really think it was her crossing this very garden?'

'I'm convinced of it,' I said adamantly, 'if you hadn't prevented me from doing so I would have ascertained the fact.'

'But I can assure you that no-one has seen Amelia since she disappeared. Lord knows I've looked for her high and low. I believe it was a figment of your imagination, Miss Osborne. Maybe you wanted to see her.'

His implication that I was prone to fanciful thoughts marred the kind thoughts I had started to have of this brother of Tobias and I snatched my hand away from his somewhat rudely, an action I regretted almost as soon as I'd done it and I reached my hand out to him.

'Forgive me, Mr Tremaine, but it has been a long day and one full of surprises, most of which were not pleasant.'

As I spoke I noticed the light was starting to fade, but it was still warm and the combination of the scent of honeysuckle and dog roses suddenly felt overpowering. I rose to my feet closely followed by Michael.

'Tell me, what has been the most unpleasant surprise for you today?' he murmured.

'Apart from Amelia disappearing, I think the fact that she lied to me about marrying your brother,' I said quietly with resignation. 'Do you know why she didn't marry Tobias, Mr Tremaine?'

There was a silent pause before his answer drifted across to me. 'Because, Miss Osborne, Amelia fell in love with me.'

This admission beat any other revelation told to me today. I stepped back from him.

'So my friend married you, Mr Tremaine.' This was a statement rather than a question, my voice was harsh and I wondered why I felt a sense of betrayal.

Michael Tremaine's reaction to this statement was to throw back his head and laugh. I felt like pounding on his chest with anger, but I'd already behaved in an unladylike manner towards this man in the space of little more than an hour already.

'Why are you laughing at me?' I almost shouted at him.

'Because you have reached your own conclusion, totally the wrong one in the space of seconds, Sara,' he said, merriment in his voice.

'So tell me then, what happened between you and Amelia?' I challenged him sitting back on the seat.

'Nothing, absolutely nothing. Her love for me was not reciprocated I assure you. I am surrounded by dark-haired women, I certainly wouldn't want to marry one.'

As he spoke, the merriment in his eyes and voice suddenly died. 'I much prefer fair-haired women and a very beautiful one has stumbled headlong into my path today.'

At his words I didn't know what to do or say, I felt foolish and confused at the same time and didn't wish to discuss the matter further.

'I must return to my room, Mr Tremaine, but I cannot walk back through that dark passageway,' I said with a calm I didn't feel.

'Then I'll show you round to the front,' he said, kindly offering me his hand.

3

The ravens flew noisily overhead as I ascended the steps to the front door for the second time that day. As I stepped into the hall I saw Rosalind standing at the bottom of the staircase. Was she waiting for me I wondered.

'So you've met our brother, Michael,' she commented, and I realised she must have watched us from the window alongside the great door.

'Yes,' I replied, not wishing to tell her the circumstances in which we had bumped into each other.

'Your maid, Tilly, tells me it is your birthday today,' said Rosalind dismissing the subject of Michael for which I was grateful.

'Indeed, I am twenty-one today and haven't yet opened Father and Mother's present to me,' I told her.

'You must join us for dinner this

evening, so we can at least toast your special day.' She spoke with enthusiasm and I realised that her life may in some way be dull and her days repetitious.

'It is kind of you, Miss Tremaine, but I feel weary and would not be sparkling company,' I admitted.

'Then stay for a few more days,' she pleaded, 'and we shall have a party for you.'

'Why thank you, I would like that and it would give me time to try and trace Amelia's whereabouts,' I said having no intention for some reason in telling this young woman I had seen my friend not long since walking in the garden. Or had I seen her?

At the mention of Amelia the lovely face changed, and she was about to speak just as another young woman joined us in the hall. I'd thought Rosalind to be beautiful, but the young woman who now stood at her side dressed in a day dress the colour of which was a beautiful mauve matching the wearer's expressionless eyes surpassed even Rosalind's beauty.

'Did I hear mention of a party?' the newcomer said in a tinkling melodic voice, but still her eyes were void of any emotion.

'This is our sister, Violet,' said Miss Tremaine, 'and this young lady,' she said, speaking to her sister as if she were a child, 'is Sara, a friend of Amelia's.' At these words Violet ran over to me, her dark ringlets bobbing up and down, she caught my arm.

'You must come to my studio and see my ravens,' she said excitedly, 'Amelia loved them, but she hasn't been to see me for a long time.' At which words she stamped her foot and tears rolled down her cheeks. 'No-one likes me,' she wailed and I realised this lovely young girl was still a child inside a woman's body.

'Come, Violet,' coaxed her sister, 'we will go to your room and prepare for dinner.'

Before they walked together up the wide staircase, Violet looked at me. 'You will come tomorrow?' she pleaded, and I knew I would, but only for her sake as I felt compassion for her, and as I made my way to my room I wondered if there was anyone in this household that I hadn't yet met. I didn't realise then that there was someone else I would meet on the morrow and that the whole day would be fraught with minor incidents drawing me further into the lives of the family at Ravensmount.

As I stepped into my room, the first thing I noticed was a cheery fire burning in the hearth for which I was thankful as now the sun had gone and the large room felt chilly. Tilly, with Emily's assistance, was arranging my clothes in the large rosewood wardrobe which stood in an alcove on one side of my bed. I could see my open trunk standing at the foot of the bed.

'Your tea's gone cold, Miss Sara,' grumbled Tilly indicating a tray which stood on a small table next to the armchair which had been pulled up by the fire, 'and the bread will be curling at the corners no doubt,' she continued to chide me.

'I'm sorry, Tilly,' I said realising how hungry I suddenly felt and Rosalind's invitation to dinner crossed my mind. Picking up one of the sandwiches, I could see that the bread had indeed dried out a little, but I ate it nonetheless, a thought coming to me. 'Tilly, have you come across my birthday present?' I asked.

'Yes, Miss, it's on the dressing table.'

Swiftly I retrieved the tissue wrapped gift which had been tied with an emerald green ribbon. I sat on the armchair and carefully unwrapped it. The paper contained an oblong green velvet box and opening it I could see a necklace of creamy pearls with diamonds set into the clasp, they were beautiful and I suddenly felt homesick. Tilly came over to look, Emily hovering in the background.

'They are lovely, Miss Sara,' Tilly whispered. 'Oh Miss, don't feel sad,' she said suddenly as she caught sight of a large tear which trickled down my cheek. 'We'll be back home before you know it,' she comforted me continuing, 'shall we leave the rest of your things in the trunk, Miss? Seems silly getting everything unpacked.'

'No, empty it please, Tilly, for we are here for a few more days,' I replied.

As I snuggled between the crisp white sheets later that evening, the candle beside my bed cast eerie shadows on the walls and ceiling, I wondered just how long we would stay at Ravensmount and whether my search for Amelia would prove to be fruitful. Before I fell asleep I recalled Tamsin's words, 'Do not spend a night there.' I dismissed the thought certain no harm could befall me.

The squawking of the ravens awoke me with a start the next morning. Surprisingly I'd slept well, early day-light filtered into the room tinged with a rosy glow from the curtains. I slipped quickly out of bed and donned my pale blue dressing gown, recalling Mrs

Mallory's words on my arrival.

I was eager to know who the visitor was at this time of the morning, causing the birds to swoop to the tower, for I could see by the small marble clock at my bedside it was six-thirty. Pulling the curtains back I caught sight of a young woman in a royal blue cloak, the hood of which covered her head, but I recognised the cloak and knew it to be Amelia's.

'Amelia!' I called her name in vain for she disappeared round the corner in the direction of the garden with an older woman who was her companion. Quickly I ran to my door, running along the corridor with bare feet totally oblivious of my attire or the fact that my long blonde wavy hair flowed behind me.

I sped down the staircase one hand on the polished banister to be met at the bottom by a startled Mrs Mallory who was crossing the hall. She caught my arm, preventing me from my intention of opening the front door which even as I looked I could see was chained and bolted top and bottom.

'Miss Osborne,' the housekeeper admonished me, 'have you any idea how unseemly the sight of you in your night attire, your hair loose and your bare feet would appear to a gentleman.'

'No, I hadn't thought of it,' I replied, snatching my arm away from her. People in this house seemed intent on catching hold of the same arm I thought.

'From where I'm standing it's a pretty sight I assure you!'

I whirled around to see Michael Tremaine smiling at me from the open doorway of the drawing room.

My face was scarlet and as Mrs Mallory ushered me up the staircase, my hair and night attire flowing behind me, I looked back to see him lounging against the doorframe an amused expression on his handsome face.

A picture coming to mind of his handsome face, glittering black eyes and dark curling hair and I realised the answer was I wished to make a good impression on him and I could easily understand how Amelia had fallen in love with him.

Looking out of the window once more, I could see the ravens were silent now and back in the tree. The sea looked grey, ever tumbling towards the steep cliff and I thought for an instant that I had imagined seeing Amelia, but dismissed the thought as quickly.

But why would the Tremaine family dismiss her being here, and I came to the conclusion that one or all of them were lying. But who? Was my next question and also why? I sat in the armchair and nodded off to sleep to be woken by Tilly carrying a breakfast tray which she deposited on the small table at my side. My feet were freezing and I wished the fire was lit, but the ashes still lay forlornly in the cold grate.

'It's a grey day today, Miss,' said Tilly, stating the obvious as I turned to look at the grey clouds scudding across the sky. 'What will you wear, Miss?' she asked opening the wardrobe.

I suddenly felt I'd lived here for a very long time and had a feeling of déjà vu, and my eyes were drawn to the young woman in the portrait. No matter where I was in the room her eyes surveyed me and I felt quite unsettled by it making a mental note to ask someone who she was.

'Miss Sara, are you with me or not?' Tilly's' exasperated voice cut into my thoughts. She was still standing by the open wardrobe waiting patiently for an answer. I picked a rose-pink day dress, the bodice v-necked and buttoned to the waist.

I had no notion as to what I intended to do today, but my main aim was to avoid Violet. Don't be uncharitable, I chided myself at the thought. Stepping into the corridor I looked to see if anyone was around. On seeing the coast was clear I once again tried the door of Amelia's room. It was shut fast against me.

I knocked gently on the door with

some thought that she may be in there, but all was silent within and I made my way towards the main staircase with a sinking heart realising that I knew little of the layout of the house and thinking that because of this I had no hope of looking for my friend.

I stopped by the wooden staircase, an idea occurring to me. Without intention of doing so I made my way downward, lifting my skirts I walked along the threadbare carpets to the metal door I had discovered yesterday. I lifted the large latch and had expected the door to be firmly closed, but it swung back easily with little noise and I could see the hinges were well oiled which led me to believe the door was used frequently.

Stepping inside I could see why, the stone walled room was full of racks of wine and my heart sank, disappointment flowing through me just as I felt something move under my skirts, looking down I could see it was a mouse and I screamed. The mouse scuttled off.

'You are surely not afraid of mice, young lady.' A deep masculine voice arrested my attention as the sound of it reverberated around the walls. A voice I didn't recognise and I knew instinctively it was an older man. I turned round to face him.

'I am afraid I am, Sir,' I said sheepishly.

'Then you should not be poking and prying around in wine cellars which don't belong to you.' As he spoke I met his gaze, the voice was harsh and I knew the words weren't meant in a light-hearted way.

'I'm sorry, I thought . . . ' I commenced, but thought better of it as I was sure this man, whoever he was, wouldn't understand that I had imagined my friend may be here. My wish was to escape, but his solid frame blocked the doorway and he stood firm intent on ensuring I would not poke my nose anywhere it wasn't meant to again.

He was a striking looking man with thick silver-coloured hair, a firm jaw and the dark glittering eyes of the Tremaine family. But whereas until now I had seen softness and mirth looking at me, his eyes showed anger and hostility.

'I take it you are Sara Osborne from Bath,' he said taking a small jewelled snuffbox from his pocket then proceeded to sniff at the powdered tobacco.

'Yes, I am,' I said demurely all the while looking at him praying that I could soon escape, not just from this cellar but from Ravensmount itself. Maybe Tilly should have left half my belongings in the trunk after all.

'My family are foolish, everyone of them,' he said with a derisory tone placing the snuffbox back in his pocket. 'Not one of them married, and why? I'll tell you why, because they fall in love with the wrong people and I will not have any one of them marrying without my approval. Let my words be a warning to you.'

'But Tobias is the master here,' I said bravely, thinking that I would marry whoever I liked.

'What gave you that notion, Sara Osborne, I can not imagine, for I, Abraham Tremaine am master of Ravensmount and will be until I take my last breath.' As he spoke the words, he stepped to one side, the doorway open to me, I took this as a sign of dismissal and scuttled past him without a sideways glance hoping never to incur his wrath again.

Before I looked for Tilly to ask her to help me pack our things in readiness for our departure, I made my way to the arch of honeysuckle and the tranquillity of the garden. Sitting on the stone seat where only hours ago I had sat with Michael, I recalled my short encounter with the true master of this house. My knees were still trembling at the thought of Abraham Tremaine's overbearing presence, thankfully his personality had not been passed on to his children Tobias, Michael, Rosalind and Violet.

The thought of Michael made me smile and I recalled this morning's incident when I had stood vulnerably at the foot of the staircase, yet I would be sad not to see Michael again, and what of Amelia? Would I be letting her down if I left so soon? Was I making the right decision? The thought of the incident in the wine cellar brought me to answer. Making my way once more through the hall I encountered Rosalind again.

It was like a re-enactment of the previous evening. 'Lunch will be served in the small dining room,' she said, indicating a room behind the staircase next to the drawing room. 'From twelve noon until two. You are most welcome to join us and I have spoken to Tobias about a small party in your honour tomorrow.' She talked with little chance of me to interrupt.

'It's kind of you, Miss Tremaine, but I shall be leaving in the morning if it can be arranged,' I said quietly noting that today she wore a cream-coloured gown which gave her the look of the young woman in the portrait in my room.

'Surely not, Sara,' she said softly, 'I had hoped we could be friends, for life is dismal here and Violet is such a trial, not to mention . . . '

Here she broke off and I had the distinct feeling she was going to name her father as another trial. I was just about to reply when someone took my arm, turning away from Rosalind I could see it was Violet.

'You promised to see my studio, Sara,' she said excitedly, tugging at my bell sleeve, 'I've been looking for you all over.'

I looked at my fobwatch, an hour until luncheon. 'I have an hour, Violet,' I said kindly. She was indeed like a child, although a beautiful woman in truth. 'Excuse me, Miss Tremaine. I accept your kind offer for luncheon when we may continue our conversation.'

Rosalind watched Violet and I as we walked up the staircase, Violet leading me by my hand to Lord knows where and practically pulling me over in her haste as I quickly gathered up my pink skirts in one hand.

'Where are we going?' I asked as we turned into the opposite side of the corridor to where my room was situated.

'To the south tower,' she said. 'Silly you, not knowing. Everyone knows my studio is here.'

'But I am new here, Violet,' I said breathlessly due to exertion as she led me up a steep flight of stone steps at the end of the corridor. On reaching the top I took a moment to get my breath as Violet fumbled in the side pocket of her mauve dress for what was obviously a key to the door. So she kept it locked I thought momentarily and wondered why.

The sight that met me as we entered the room made me feel physically sick. Black ravens filled the room, either cast in stone and painted black or depicted on canvas, some alive, some lying dead, the blood seeping from various wounds and every eye faced me as I looked, even those in death. Quickly I turned away and wished fervently I had my smelling salts with me.

'Does it frighten you, Sara?' asked Violet, dancing around me with glee. 'It does most people, but Amelia loved them, like I do. She was a kindred spirit. Tell me where she is, I liked Amelia.'

'I'm sorry,' I said gently, 'but I need to go back to my room.'

'Not yet, Sara. I have a secret. Come with me.' She quickly locked the door, and no matter where she took me next I was never so glad to see the back of anything as I was that studio, and as we traced our footsteps back along the corridor the nausea which had risen in my throat started to fade.

Violet stopped at an archway without a door, on passing through I could see a balcony with polished railings.

'See?' she said excitedly as she pulled me to the railings.

And I did see, for as I looked over I could see the hall of Ravensmount and I realised I stood in a minstrels' gallery. I could see the front door of the drawing room and the staircase.

As I looked, Tobias stepped down the staircase and made his way to the small dining room. On the wall between the two rooms was an immense portrait I recognised as the man, Abraham Tremaine.

'They will play music here for your party,' shrieked Violet, 'and I shall watch everything.'

'So this is your secret?' I asked quietly.

'Oh no, Sara. I cannot tell you my secret or it would be a secret no longer.' So saying she ran off, her shrill laughter pounding in my brain.

4

As I stood there after Violet's departure, I saw her run down the staircase and enter the dining room. It must be time for luncheon I mused, and was unsure as to whether to join the family or not. It was then I saw Michael leave the drawing room and walk slowly to join his siblings. The sight of him made my mind up for me and I made my way to join them myself.

Entering the room I could see all five of them there. Abraham sat at the head of the table watching me indeed as they all were, and my thought was to make my excuses and leave, but Abraham stopped me from doing so.

'Be seated, young lady, we've waited long enough.' As he spoke he indicated a chair opposite him. The table only held places for six and as I sat dutifully on the chair I idly wondered how long it had been since the mistress of the Ravensmount had occupied it. Violet sat next to her father and I noticed his hand was laid across hers protectively.

Rosalind sat by her father, also opposite her sister. She now looked down at her plate not meeting my eye. Michael sat to the left of me and Tobias to the right. Strange I thought how they all had dark eyes like their father except for Violet, but as she looked at me with a sardonic expression on her lovely face, I realised she was the one most like her father, cruel and manipulative.

'We will bow our heads,' commanded Abraham, and I saw they all did. Before closing my eyes I caught Michael looking at me and as our eyes locked he smiled encouragingly which served to make me feel better and doubting my resolve to leave.

'Are you comfortable?' asked Tobias as he handed me a glass dish which contained a salad.

'Why yes, thank you,' I replied looking at him and thinking once more how ruggedly handsome he was, more so than his brother.

'And where are you sleeping, Miss Osborne?' Abraham's voice was loud and demanded an instant answer. I looked towards Rosalind not sure as to what I should say.

'I have given Miss Osborne the rose room, Father.'

As she spoke Rosalind looked down at her plate. At her words a look of thunder crossed Abraham's face then disappeared as quickly as it had come.

'You know, daughter, that I do not wish that room to be occupied,' Abraham admonished.

'But Father, it is such a pretty room, far prettier than any other bedroom in this house,' Rosalind pleaded her case.

'My thought is to leave tomorrow,' I cut in hoping to distract Mr Tremaine from taking Rosalind further to task. My words had a various effect on the Tremaine family as they all looked at me.

'But you can't leave,' wailed Violet, 'I

have so much to show you.'

'You surely don't intend to leave us so soon,' Michael said quietly.

'The girl can leave when she wants,' observed Abraham sharply, 'after all she is but a stranger. Now eat, and that's an order.'

For some reason his words cut me to the core, but they were true, I was indeed a stranger, although I felt that in less than twenty-four hours I had come to know them all.

'If you'll excuse me,' I managed to utter. Michael and Tobias stood also, I noted that Abraham Tremaine did not, he just watched me with callous amusement. All was silent as I left the room except for my heels clicking on the polished floor. I stood for some moments at the foot of the beautiful staircase intent on gaining some composure.

'Miss Osborne,' a deep mellow voice caused me to turn around to see Tobias walking purposefully toward me. 'Please stay.' At these words I was stunned, to have heard them from Michael I could have understood.

'It would seem, Mr Tremaine, that your father would prefer me gone,' I replied quietly.

'But I wish you to stay. You have brought a ray of sunshine into this house. Please come with me to see Lizard Point this afternoon. It is so beautiful there and it may help you change your mind. Please say yes,' Tobias urged.

'Very well,' I agreed. For how could I say no, the mouth which had uttered the words 'please stay' was so beautifully shaped I had a sudden urge to kiss it, but Tobias would never know my thoughts.

'Please give me half-an-hour to refresh myself,' I said, noticing the afternoon sun was starting to spill through the drawing room window. The door was open and I thought of only yesterday when I had first set eyes on this man in a beam of sunlight.

'I will organise the pony and trap this

instant.' With which words he was gone.

Before I ascended the staircase I looked across the hall to see if I could locate the minstrels' gallery. It was there, but quite high in the wall and I needed to raise my eyes upward to see it. Even as I looked at the polished railings I could see Mrs Mallory watching me. As I observed her she stepped back into the shadows out of view and my thought was that she would report the scene she had just witnessed, but to whom?

Settled in the trap, my pink skirts placed decorously around my legs and my prettiest pink bonnet with brim decorated with tiny violet flowers on my head, I watched my companion climb deftly onto the seat beside me and expertly take up the reins urging the pony forward.

'Are you warm enough?' Tobias asked me solicitously.

'I am fine, thank you,' I answered smiling at him. The afternoon sun behind us warmed me as did thoughts of my good fortune at sharing this glorious afternoon with a handsome stranger. What Papa and Mama would think of it I could only imagine.

'A penny for your thoughts,' said Tobias bringing me out of my revelry.

'I was thinking of Amelia,' I replied quietly. It would have been so easy to have told him a white lie, but for some reason I wished to be completely honest with this attractive man.

'What exactly are you thinking?' he enquired as we bowled along the lane through the pleasant countryside not a dwelling in view.

'To be perfectly honest, Mr Tremaine, I was asking myself how Amelia would feel if she could see me with you,' I answered tentatively. 'For you must have loved her once.'

As I spoke I looked wistfully at my companion who pulled the reins causing the pony and trap to come to a halt.

'I thought I loved Amelia, Miss Osborne, but the more time I spent in her company I came to realise that despite her gaiety and happy disposition, Amelia was transparent and for the want of a better word, boring. I soon came to realise that she was not the wife I imagined that I wanted and then . . . ' Here he paused, turning away from me and looking out over the green fields deep in thought.

'And then?' I prompted him.

'Nothing, Miss Osborne,' he said urging the pony forward, 'I feel I have said too much already. Let us forget Amelia and enjoy our outing.'

'But Amelia is the reason I came to Ravensmount,' I replied.

As I spoke I noticed we were coming into a small village which had rows of thatched cottages either side of the dusty track with a small general store, a blacksmiths and a delightful looking teashop.

'How lovely!' I enthused, pointing to the small pink cob stone building which boasted the name *Teashoppe* on a plaque above the door.

'Yes, it is a pretty little place isn't it,'

agreed Tobias, 'it is the only place like it for miles,' he informed me.

'If I stay I shall make a point of partaking tea there one day,' I said gaily, for my mood had suddenly changed and I realised it was the thought of Amelia which plunged me into moments of gloom.

As we reached the far side of the small village I observed a very small cottage set apart from the rest. There was a border of brightly coloured pansies, their tiny heads turned towards the sunshine, and sat alongside in a rocking chair was a slight elderly woman with wispy white hair drawn back of her kindly face. Tobias slowed down as we passed and she raised her hand in greeting, smiling pleasantly.

'Who is that?' I asked innocently.

'She was our nurse until a couple of years ago. Her age meant she had to leave Ravensmount. We are all very sad about it, for life is not the same without our dear Millie Sutton to turn to.' Tobias' voice held a sad note.

'I'm sure she is still there for you and always will be,' I soothed.

'Oh yes, Miss Osborne, you are right. My brother, Michael, visits her frequently,' he said, his voice sounded stronger for which I was thankful.

'And here we are.' He continued reining in the pony once more.

'Why it's beautiful here,' I whispered, overawed by the scenery before me.

Cliffs rose some two hundred feet above the sparkling water, broken here and there by small rocky coves for as far as the eye could see, to the tip of the Lizard. 'What is that green rock I can see?' I asked excitedly.

'It is Serpentine, quite unique and very fashionable for ornaments to be made from it to grace the houses of our present society.' As Tobias spoke he jumped down from his seat and assisted me to the rocky ground.

'I wish I'd thought to bring my parasol,' I laughed nervously, not daring to look at him as his strong hand still grasped my smaller one.

'Are you too hot?' he enquired with concern in his voice.

'I'm fine, really, Mr Tremaine.' We stood closely to one another in companionable silence, looking out over the sea.

'The dreaded reefs of the Manacles lie off shore a little further along the coast, many a seafaring man has been drowned there,' Tobias said sombrely.

'That is hard to believe when the sea is as calm as it is today,' I commented.

'The sea has many moods, Miss Osborne, always be aware of it. Today it quietly slumbers in the warm May sunshine, but it can awaken suddenly and be a menace to ships and sailors alike.'

As he spoke Tobias turned to me still holding my hand and taking the other one also in his strong grasp. 'Please stay, Miss Osborne, if only for a short while. Rosalind has planned a party for tomorrow evening in honour of your twenty-first birthday. I wish to see you in your most beautiful gown, your face flushed with pleasure, your green eyes sparkling,' he said seriously. 'And above all I wish to dance with you.'

For some moments I looked at him before I answered. 'Your earnest request is not in vain, Sir,' I said. 'I will stay for a little while longer. Not just because of your entreaty, but also because I feel some loyalty to Amelia.'

On our way back in the pony trap I thought of my decision to stay. Tobias' words had been most persuasive and I had felt drawn to him. But what of Michael, and I recalled the cruel way he had only yesterday secured my wrist akin to holding me prisoner.

I truly believed Tobias wanted me to stay and my earnest hope was that we would form a bond between us, one that couldn't be broken. And then there was Violet, what other horrors would she show me? And had Amelia really loved her studio full of ravens?

Abraham would loathe the fact that I was to stop at Ravensmount longer, he had the authority to turn me out. I had not forgotten Rosalind, but as beautiful as she was, Rosalind was a quiet, silent figure in the household who would step back into the shadows out of the spotlight and keep the peace. She said that she had wanted us to be friends, I made the resolve to do just that for I was sure she needed female companionship.

'What is the village called?' I asked Tobias as we passed through it. Millie Sutton was not sat in her chair on our return, in fact both her and the chair had disappeared. It took some time for Tobias to reply.

'Moll's Bay.' The words drifted across me. I noticed we had turned into a side lane. It was a dead end and I marvelled at the beautiful view which lay in front of us.

'Why Moll?' I asked him as I looked out to sea.

'Two hundred years ago, Moll stepped into the water with no intention of returning,' he said quietly.

'And why was that?' I asked him curiously.

'Because her lover forsook her. I would never do that to you, Miss Osborne,' he said quite unexpectedly, and as we looked at each other I knew not what to say.

On reaching Ravensmount the ravens swooped noisily overhead to the tower and I marvelled at the fact that I had arrived here only yesterday. On entering the beautiful hall I encountered Abraham Tremaine.

He was standing at the foot of the staircase as if to bar my way and my heart started pounding.

'Did you enjoy your outing, Miss Osborne,' he asked with some sarcasm in his voice.

'I've had a lovely afternoon.' I replied sweetly, for indeed I had.

There was a pregnant pause before he said quietly, 'Beware my son, Tobias, young woman, for he is fickle.' These few words quite spoiled the whole day and as I made my way to my room I wondered if they were true and prayed not or I would die.

5

I didn't go back downstairs that evening. Tilly brought me some supper and I retired early to bed and spent the night sleeping and waking. Thoughts of Tobias and Michael were racing around in my head. I woke with a start at one point, candlelight still flickering on the walls and ceiling and me imagining I was wet from top to toe after walking into the sea, and who would it be to cause me to do such a thing? Michael or Tobias?

And so my thoughts ran on until I awoke at daybreak the light filtering through the curtains. Putting on my robe I walked across to the window and drew back the drapes.

There was a pink glow lying across the water and the sea was tranquil and still. Then I thought of the winter with an angry sea and a wind howling around the house and through the ravens' tree, with dark clouds bearing down on the landscape and rain lashing at the windows.

I was studying the portrait of the young woman which hung over the mantel when there was a tap at the door, which opened slowly to reveal Rosalind looking calm and serene in a dove grey morning dress.

'I'm sorry to disturb you so early, Sara, but I was anxious to know if you are truly staying for a while longer, for Tobias mentioned it at dinner last evening.' As she spoke Rosalind looked at me enquiringly.

'Yes, I would like to stay if this is agreeable to all,' I said standing up and indicating for Rosalind to sit in the chair which I had vacated.

'Oh, that is splendid!' said Rosalind with glee clapping her hands together and walking to the window. 'I have much to do for this evening we shall have a small party in your honour,' she enthused.

‘And what of your father?’ I asked, not wishing to put a damper on her high spirits, but the question had to be asked.

‘Leave me to deal with Father. His bark is worse than his bite you know.’ As she spoke the smile vanished from her face, but returned as quickly.

‘Before you go, Rosalind, may I ask who the lady is in the portrait?’ I queried.

‘It is my mother,’ she replied looking at the young woman in the picture with a vacant expression on her lovely face.

‘I take it she is no longer with us?’ I asked tentatively.

‘No, indeed not,’ Rosalind replied quietly and not taking her eyes off the portrait. ‘She died of a broken heart.’

After Rosalind departed I sat for some time in the armchair, mulling over what she had said and looking at the lady in the picture who had been Rosalind’s mother, and Tobias’, and Michael’s and Violet’s? I asked myself. And I also asked why she had died of a broken heart.

Getting up from the chair and pulling my robe tightly around me I walked to the door. Opening it slowly I looked stealthily into the corridor. There was no-one around and I walked swiftly over to Amelia's room trying the door once more, but it wouldn't budge. I stamped my foot in frustration.

'Good morning, Miss,' Tilly's voice startled me and I whirled around putting my hand to my chest to still my fast beating heart.

'Oh Tilly! Don't frighten me so again,' I admonished her.

'I'm sorry, Miss,' Tilly replied. 'Emily can get the key for that room, Miss if you'd like her to, shall I ask?'

Quickly I snatched hold of Tilly's hand, for some reason afraid that Mrs Mallory might hear us. Quickly I dragged Tilly back to my room, but before opening the door I stopped in my tracks, a thought suddenly occurring to me.

'What's the matter now?' wailed Tilly. I suddenly realised that this was the end of the corridor, so where was the door to the north tower?

'I need to get dressed,' I told Tilly as I ushered her into my room.

'But Miss, you haven't had your breakfast,' replied Tilly.

Taking no heed of Tilly's protestations I swiftly dressed in a pale green day dress with a white cotton collar and cuffs. Leaving Tilly to tidy up, I made my way along the corridor to the main staircase, saying to Tilly as I was leaving the room that I wished her to remain until I returned so she could help me choose a suitable gown for the evening.

Reaching the hall I looked to the right and left and was pleased to see there was no-one around and thankfully the great front door was unlocked. Raising the huge door latch I stepped out onto the steps, the air was quite chilled, but it was after all early morning. The sky was blue promising another glorious day.

The ravens watched me with their bright eyes fully alert and as I stepped onto the gravel and took a couple of steps towards the north tower they flew towards it squawking noisily.

I uttered a silent oath for now all the inhabitants of Ravensmount would know that someone was out and about. As I neared the square tower I looked up to ascertain which was my room. As I looked at the long leaded window next to the tower I could see it was indeed mine, as Tilly stood at the window and raised her hand.

As I looked I was surprised to see a white face pressed against the window pane looking down at me. The face was definitely that of a woman, but I could not say who it belonged to. As I went to shout the name Amelia, the face disappeared abruptly as though someone had pulled the person back from the window.

Frustration filled my whole being, lifting up my skirts I ran around to the side of the building only to run headlong into Michael.

'Steady, Miss Osborne,' he said with

amusement as he held my arms, 'have you the Devil behind you?' As he spoke he looked past my shoulder as if to ascertain whether this statement was true or not.

'No I haven't,' I said with exasperation, all the while wriggling free from his grasp. 'I saw a face at the window of the tower and wished to find a doorway to gain entry.'

'Well, well.' Michael studied me as he spoke. 'So you still have thoughts that Amelia is here. Well the door to the tower is beside you so we can take a look together.'

At his words I looked to my left and to be sure there was a low door set in the wall which could so easily be missed as the wood was light in colour, obviously weathered by the sea winds. Ivy grew around it almost as if to protect it from prying eyes. I looked back at Michael and he stepped toward the door lifting the latch but the door would not budge. Two doors locked against me was my thought.

'You knew it would be locked,' I berated him.

At these words Michael raised a dark eyebrow. 'My dear, Miss Osborne, no Sara,' he started to say.

'How dare you call me by my christian name,' I interrupted him.

'All right, Miss Osborne, then,' he said placing an arm around my shoulder, which I have to admit didn't feel unpleasant as he continued, 'I very much fear we have started off on the wrong footing on both occasions.'

'That is an understatement,' I replied softly savouring the touch of his strong hand on my shoulder. Had it really been only two days ago we had bumped into each other for the first time?

'Then let us start again, Miss Osborne.' As he spoke he turned me to face him. 'We have a very pleasant tea shop at Moll's Bay, please let me take you there for some refreshment this afternoon. It will relax you in readiness for this evening.'

For some seconds I mulled over this

invitation thinking of Tobias and our outing yesterday. It would seem I was to be pursued by the two brothers, but which one did I feel more drawn to? And above all which one could I trust.

With this thought in mind I said with my usual strong steady voice, 'Yes, Mr Tremaine, I would be most pleased to accompany you, thank you.' For an outing with Michael would hopefully ascertain the answer to my questions.

'I will meet you at the front of the house with the pony trap at two o'clock.' With which words he took my hand and kissed it gently, sending my pulses racing. So much so that when he left me, heading for the garden, I suddenly felt lost and alone.

This won't do I chided myself as I headed back to my room for I had more important matters to deal with this morning and surprised Tilly as I flung open the door.

'If Emily can obtain the key to Amelia's room then please ask her for me,' I said, walking quickly to the window.

'Of course, Miss,' Tilly replied. 'Would you like me to fetch her, Miss?'

'That would be a good idea, Tilly, thank you, but first please help me select a gown for this evening,' I asked, suddenly feeling quite apprehensive about the forthcoming party in my honour, and I idly wondered if the master of Ravensmount would be there.

Tilly and I looked through my small array of dresses, I had not brought many with me, not being sure how long I would be staying here when I had left Bath. It seemed a long time ago since I bade farewell to Papa and Mama and yet it had only been four days. Thinking of the journey to Cornwall brought to mind our travelling companion's words, '*You will be drawn into a spider's web.*'

I shuddered at the thought, for the words Tamsin had spoken were coming true. Tobias and Michael had attracted me into a web and I had not yet struggled to free myself.

'I think peach, Miss,' Tilly's voice cut across my thoughts and I could see she had removed my pale peach-coloured gown from the wardrobe. As she held it up for me to look at I thought of the only other time I had worn this particular dress at Amelia's going-away party at our home in Bath last September.

'Yes Tilly, I think this is a wise choice, please hang it on the outside of the wardrobe so any creases can fall out by this evening.'

While I spoke I searched in the drawer of the dressing table for my cream lace fan which was decorated with peach-coloured roses, the whole ensemble I fervently hoped would look most becoming and admirably suit the occasion.

Tilly returned with Emily and breakfast some fifteen minutes later. While I sat on the armchair eating toast and a boiled egg I spoke to the shy Emily, 'I only want you to do this for me if it will not get you into trouble,' I told her, 'and be assured if there is any bother over it I shall be the one to take the blame.'

'Thank you, Miss Osborne,' Emily said timidly and looking at her now I could hardly believe she would be brave enough to secretly obtain the key to Amelia's room. But I was to be proved wrong, for half-an-hour later Emily was back with Tilly, the key in her hand.

'Where is everyone?' I asked them both.

'Like who, Miss?' said Tilly in her usual never may care voice.

'Like Miss Rosalind and especially Mrs Mallory,' I replied somewhat harshly for I was feeling nervous.

'They have both taken a trip to the village, Miss.'

As Tilly spoke she was peering at the portrait above the mantel. 'Who is this?' she asked practically falling off the fender she was precariously balanced on.

'I'm told this is the mother of Tobias, Michael, Rosalind and Violet. Now please get away from the grate,' I admonished her.

'She ain't Violet's mother, Miss

Osborne,' said Emily finding her voice at last.

I turned quickly to look at her. 'She isn't?' I said quite dumbstruck by this piece of information. 'Then who is Violet's mother?' I asked with interest thinking of Violet's eyes, so different to her siblings.

'I'm not quite sure, Miss, but the head maid said there was quite a do over it and that the nurse knows more about it than she'll ever let on.' Emily seemed quite proud to be able to reveal such things about the household.

'Really!' I exclaimed, 'we'll say no more about it then Emily, nor you, Tilly,' I told my maid who was listening all agog.

'Now, I'm going to Amelia's room for ten minutes and I'd like both of you to stand down the corridor and let me know if anyone sets foot on the staircase.

With the key in my hand and my heart pounding, I stood outside Amelia's door and quietly inserted the key in the lock. As I stepped into the room and gently pushed the door I couldn't make out anything much in the dimness for the heavy gold brocade curtains had been pulled almost together. Just a narrow ray of sunlight slid across the cream rug in the centre of the floor.

I waited for a couple of minutes so my eyes could adjust to the lack of light, I dare not look out of the window in case anyone should see me. After a while I could see a large wardrobe loom up at me on one side of the window, slowly I made my way across to it and opened one of the double doors which held a full mirror.

I almost screamed as I saw my reflection in the glass. The familiar scent of Amelia's favourite rose-scented perfume wafted gently across to me and I could see many different coloured gowns hung in a neat row from rose pinks to emerald green. I was tempted to take one out, but thought better of it, it was better not to disturb anything.

I was just about to close the door when I spotted something which made my heart miss a beat. It was the royal blue cloak I had seen someone wearing only a couple of days since. I was sure it had been Amelia and this proved that I was right I thought in triumph. My friend was somewhere here at Ravensmount.

With elation I almost sped back to the door. Feeling quite disorientated I bumped into a heavy piece of furniture which caused a few bars of the music Greensleeves to tinkle out faintly into the room. I stopped in my tracks rubbing my thigh which hurt from where I had walked into what I could now see was a dressing table. I recognised the music as that which played when the key was turned in Amelia's beloved music box which now I could see sat on the dressing table.

I could hear my friend's word to me, '*This, Sara, is my birthright*.' Although I never quite understood what that had meant, it obviously had some significance to her mother and father.

Just at I went to pick up the pretty little box I heard Tilly's voice. 'Miss, Miss!' she said in a loud whisper, 'Mr Michael has just come in the front door.'

Swiftly I fled out of the door and fumbled with the key to lock it again. Tilly, Emily and I walked to the main staircase as calmly as we could. I gave Emily the key.

'Thank you,' I whispered. The two girls carried on along the corridor and I made my way down the staircase, bumping once more into Michael who was about to ascend.

'How fortuitous, Miss Sara Osborne,' he said smiling at me, his dark eyes seeking mine, 'for I shall sadly have to cancel our outing this afternoon. We shall need to leave it until Monday, forgive me?' he asked, and how could I resist him.

'No matter, Mr Tremaine, I can wait,' I said sweetly. But could I? At his words, disappointment surged through me and as I walked towards the drawing room I idly wondered if he had another assignation.

'Sara, Sara,' called an excited voice and before turning around I realised it was Violet. 'Have you noticed the decorations? Do you like them? I think they are lovely.' As Violet spoke she clapped her little hands together and I looked to where she pointed.

'I must confess Violet, I had not seen them,' I said as I looked around at the green garlands which festooned the walls of the hall.

'And see,' said Violet excitedly, 'the mats have been removed from the floor.'

On looking down I could see they had. 'And this is where you'll dance,' she said, twirling round and round on the polished floor. Fed up with her little game Violet ran across to me and whispered conspiratorially, 'And who will dance with you, Sara? Will it be Tobias, Michael or Papa?' Here she clasped her hands together. 'Oh yes, please let it be Papa.'

And as she ran up the stairs I could hear her saying, 'Papa,' over and over again in her shrill childlike voice.

I stood there for some time sickened by the whole incident, half wishing I had left this house as I'd planned to for I realised it was Violet who put a deep fear in my heart and as yet I couldn't explain why. I felt I needed to get out of the cloying atmosphere of the house for a while just as Rosalind and Mrs Mallory arrived.

'You look pale, Sara,' observed the beautiful Miss Tremaine. 'Please get some rest before this evening. I have invited a few people over for dinner and as you are to be the honoured guest it would be nice that you look your best.'

'I promise you I shall, Rosalind. Now what I really need is some fresh air. Is there a conveyance that could take me and Tilly to Moll's Bay?' I asked her.

'Why yes, I shall arrange for Seth to

bring the small brougham to the front. Shall we say in half-in-hour?' she agreed amiably.

'Rosalind,' I called as she walked towards the kitchen, 'may I take Emily? She and Tilly get on so well together.'

'Of course. I will tell Mrs Mallory that Emily has my permission,' Rosalind called back and went on her way.

After seeking the two girls out and arranging to meet them at the front of the house I went to my room, washed my face, pinched my cheeks to give them some colour and donned my white lace bonnet, ready for what I knew not what. Before leaving the room I glanced at the portrait and said out loud, 'And what secrets did you take to the grave?'

The three of us, duly settled in the brougham made our way down the winding lanes I'd travelled with Tobias yesterday. The thought of him brought a smile to my face and then I thought of Michael and almost laughed out loud. I really was between the devil and the deep blue sea. But which one was the devil?

Tilly and Emily giggled and chatted, the sun shone down out of a cloudless blue sky and Seth whistled as we went along. My thoughts turned to Amelia. Had the face at the tower window this morning been hers? And what significance did the small music box have to her birthright?

Arriving at Moll's Bay we stopped outside the teashop. A nice cup of tea would be most welcome was my thought as Seth helped the three of us to the ground.

'What a nice village isn't it, Miss Sara,' said Tilly looking longingly around her. 'I don't ever want to go back to Bath now,' she said linking her arm through Emily's.

Another problem I thought, and imagined myself going back home without Tilly. My hand on the doorknob ready to turn it, the two girls close at my heels, I stopped frozen to the spot. Inside sat at a table talking earnestly while drinking tea were three people. Two of them I could understand being there, Michael and his nurse, Miss Sutton, but the third!

'What's the matter Miss?' asked Tilly.

'I'm sorry both of you, but we cannot go in there today, I suddenly feel unwell,' I lied, my hand releasing the door handle. As I hustled them back to the waiting brougham, I wondered what on earth Michael and his nurse were doing taking tea with Tamsin our travelling companion! It was another mystery to assail me, but in some ways the most curious mystery of them all!

6

I was pondering over this small mystery while preparing myself for the coming evening. What part did Tamsin play in the lives of the occupants of Ravensmount? And whatever role it was, did it have anything to do with that day at the inn when she had tried to prevent me from staying here? I turned it over and over in my mind and could as yet reach no conclusion.

'Shall I help you into your gown, Miss Sara?' Tilly's voice interrupted my thoughts. The pale peach gown slipped easily over my head encasing my body with a luxurious feeling of softness and coolness. While Tilly fastened the hooks and eyes at the back of the bodice, I looked again at the portrait over the mantel.

A small ray of fading sunlight fell across the lovely face depicted so cleverly on the canvas, so much so that I sensed the eyes were watching me and I had a sudden desire to know the name of Abraham's wife.

'There Miss, all done. I've adjusted the frills and will now arrange your hair,' said Tilly stepping around to the front of me and obscuring my view of the portrait.

'Thank you,' I said, walking across to the dressing table and sitting on the chair, my thoughts no longer with this afternoon's scene at the tea shop, but with Michael and Tobias.

Tilly piled my blonde curls on the top of my head, securing them with a gilt comb, leaving soft ringlets either side of my face and the nape of my neck.

'Now the necklace, please,' I said to her reaching for a string of creamy pearls. Tilly secured the jewelled clasp with some difficulty.

'There Miss,' she said, her administrations complete. 'Come and look in the full length mirror for you look fit for the Queen's court,' she complimented me.

'My gloves first,' I reminded her. We both giggled as we struggled with the tight fitting gloves which practically met the edge of my short sleeves of my gown. Then picking up my fan, I walked over to the mirror. The sun's ray had moved from the portrait and now shone off the wardrobe by my bed, bathing me in a golden glow with minute particles of silver dust surrounding my reflection.

'What do you think?' Tilly asked excitedly. 'You'll be loved by all who see you, Miss and that's the honest truth.'

'Thank you, Tilly. You've done a wonderful job, now you run along and do whatever pleases you this evening,' I urged her.

'Me and Emily are going to stand at the minstrels' gallery later so we can see who you dance with,' she informed me.

'Then I hope you both enjoy the spectacle,' I said hesitantly and with some annoyance.

With Tilly gone I gathered myself together, moving out of the door I walked along the corridor my sumptuous skirts swishing on the carpet beneath my feet. As I reached the top of the wide staircase I could hear snippets of conversation coming up to meet me and I could see Rosalind and a couple of strangers talking, a glass in each of their hands.

Taking a deep breath I started to descend the staircase, my skirts pulled up a trifle with one hand lest I fall, the other hand delicately fanning myself for I felt suddenly hot. As I reached the third step from the bottom all conversation ceased and I could see both Michael and Tobias watching my progress down the stairs.

Tobias, dark and mysterious and Michael at his side dark and gentle. Then I blushed for I realised I had come to a halt on the stairs and I smiled to cover my confusion stepping lightly onto the polished floor below.

'Fetch Sara a glass of sherry,'

instructed Rosalind bustling over to me and kissing me enthusiastically on both cheeks. Over her shoulder I could see Tobias walking to the drinks trolley situated in the far corner by the window while Michael watched me, his eyes steady and intent as he sipped at his drink. I smiled at him and he slowly raised his glass in salutation and my heart started racing.

Rosalind, looking lovely in a beige-coloured gown decorated with small pink rosebuds, steered me towards the middle-aged couple she had been in conversation with. I turned sideways to look again at Michael who was still watching me just as Tobias thrust a glass of amber liquid in my hand. I immediately thought of potions and poisons, wondering ludicrously if Tobias was the poisoner, when my wicked idea was interrupted by Rosalind's voice.

'Sara, Sara,' she repeated, 'may I introduce you to Nicholas and Hester Northcliffe.'

'Why, how do you do I'm sorry, but I

was distracted. Please forgive me for being rude,' I pleaded.

'Not at all, young woman,' Nicholas' voice boomed out. He was a plump rotund man with a red face, while his wife was as thin as a scarecrow with bright red hair and a white unsmiling face.

'I can see the object of your distraction,' he said coarsely, nodding in Michael's direction and winking at me.

I disliked the man immediately and was grateful to Tobias who steered me away to the drawing room, much to his brother's obvious alarm.

'You look very alluring this evening, Miss Osborne,' Tobias observed looking me up and down.

'I second that,' spoke a voice from the corner of the room. It was the master, Abraham, who we had not noticed. He walked towards us, the snuff box in his hand. I thought how distinguished he looked, dressed in a black jacket, his silver-grey hair shining in the evening light.

'Tell me, Miss Osborne,' the master continued, 'whatever possessed you to travel from Bath to Cornwall on your birthday of all days?' The question was a fair one, but unexpected and brought to mind Amelia.

'I wished to travel to see my friend at the earliest possible moment,' I answered him frankly.

'Your loyalty to your friend does you justice, young woman,' said Abraham, the first sign of friendliness towards me in his manner. 'And do you believe Amelia is still here at Ravensmount?'

'Yes I do,' I said honestly without hesitation.

'And why do you think this?' he queried not unkindly.

'I think I have seen my friend, Sir,' I answered my voice strong. 'Not only in these grounds here, but in the window of the tower.'

'Interesting, Miss Osborne. Now let us join our guests in the hall.' At his words I could hardly believe Mr Tremaine had dismissed the subject, but at the same time he had not argued with me.

For the first time I saw the large dining room at Ravensmount, whose steps led from the hall into the spacious room which boasted a huge stone fireplace, filled with brightly coloured daisies.

We seated ourselves around the table, the master at the head, the awful Nicholas Northcliffe opposite me who every now and then tried to touch my foot with his, so that I sat throughout the meal with my feet tucked under the chair. Michael sitting further up the table watched me while I ate, causing me to wonder what exactly his thoughts were.

During the meal, Abraham Tremaine stood up raising his glass. 'To our guest, the beautiful Miss Sara Osborne, her birthday and many more to come.' He toasted me and I thought what a good start to the evening, but could things get better or worse? I was soon to find out.

As we stepped back into the hall

afterwards I could see that chairs and small tables had been placed around, and after a nod from Rosalind to the minstrels' gallery above, beautiful music floated down to us. To my dismay it was the master who approached me first.

'Shall we dance, Miss Osborne?' he asked, bowing over my hand which he had taken in his. His hand was strong and dependable and I idly wondered what had changed his manner towards me.

As we danced to the strains for a Viennese waltz and as Abraham whirled me expertly around the hall I could see Rosalind, Tobias and Michael watching us, also the other six guests which included the terrible Northcliffes.

'This is one of Johann Strauss' waltzes isn't it?' I observed as we glided across the floor.

'Yes indeed, it is the Reunion Waltz.' Abraham looked down at me for he was tall.

'It is a beautiful piece of music,' I said, listening intently to the violin.

'Yes, how right you are, Miss Osborne. Chopin himself said that Strauss and his waltzes obscure everything else,' my partner told me.

'Is that so,' I replied with great interest.

'You seem very interested in him, Miss Osborne,' he observed.

'Yes indeed I am, Sir. Tell me more about Mr Strauss,' I urged him.

'I saw him with his orchestra some sixteen years ago in Austria, such fire and poignant rhythm,' he paused then continued, 'I was also fortunate enough to see him in London in 1838 on Michael's birthday.'

'Which is when?' I asked with interest.

'April the 17th.' He paused and smiled down at me, a playful glint in his eye. 'Mr Strauss has led a colourful life, Miss Osborne, for I believe he has thirteen children.

At this piece of information we both laughed and I now saw a different side to the master of Ravensmount. He could on the one hand be manipulative and harsh, and on the other he had a sense of humour and was knowledgeable about the arts.

'Why has your manner towards me changed?' I asked my dancing partner on a more serious note.

'Because you are honest, my dear, and I have much respect for honesty,' he replied looking down at me. 'Others have not been so forthright.' His words obviously had some meaning, but for the present the meaning eluded me. We were joined on the floor by Tobias and Rosalind and as I glanced up at the minstrels' gallery I caught a glimpse of Violet looking through the railings at the scene below, and I mused as to why she had not joined us for dinner, but to be truthful I was thankful that she had not. Refreshing drinks were served as eleven of us sat talking or dancing and then Tobias loomed over me and my heart pounded.

'May I request the pleasure of this dance with you?' he asked seriously, no glint of humour in his eyes or voice.

'You may,' I said, rising to my feet. Tobias took my hand and led me onto the floor and so we danced and talked.

'You are beautiful,' were Tobias' first words.

'And so was Amelia,' I said without thinking.

'But your friend does not possess the fragile beauty you do, Miss Osborne.'

As he spoke I latched on to the word 'does' for Tobias spoke it with clarity.

'So you believe Amelia is alive then?' I asked him.

'What causes you to say that?' he answered sharply, stopping momentarily in mid step.

'Because, you spoke the word 'does.''

At my words he laughed. 'You read too much into things my dear, in fact, if you have a fault that is it.'

'Is it indeed. Well let me tell you Mr Tobias Tremaine, that I am curious by nature and you . . . you,' I searched for the right words, 'you are far too serious and pick holes in people as you did with my friend, Amelia.'

'Please calm yourself, Miss Osborne,' he soothed. 'I told you Amelia fell for my brother.'

'No you didn't!' I shouted back at him. 'Michael himself told me that Amelia fell in love with him, and if this is true I can see why.' I stamped my foot and fled from the dance floor the strains of the violin in my ears. Everyone was looking at me and as I ran through the dining room past the long table scattered with unwashed glasses and dishes.

I heard Nicholas Northcliffe's voice, 'How I like a girl with spirit,' he guffawed.

Pulling back the heavy pale orange tapestry curtains which were now drawn against the darkness, I fumbled with the latch of the French windows which I had noticed earlier led out onto the garden.

A strong hand fell gently over mine. 'Allow me,' a voice said softly.

Before I turned around I knew it was

Michael. Over his shoulder I could see Abraham Tremaine standing in the doorway with a glass in his hand. As I caught his eye he raised the glass and smiled at me and then turned back to the hall.

'Thank you,' I muttered to Michael, allowing him to open the door which led out into the garden. Hot tears sprang to my eyes threatening to fall down my cheeks. We stepped into the beautiful garden, the moon shone brightly down casting everything with a silver glow, the air was warm and the glorious scent of flowers wafted around us.

It was a perfect evening for romantic thoughts and as Michael steered me gently toward the stone seat, I knew the answer to my question and that in my heart this was the one for me.

'You are trembling, dear heart,' Michael said with concern in his voice. 'Take my handkerchief and dry your eyes,' he commanded.

I did as he bid and looked at him.

'Oh Michael, I have made such a fool of myself this evening and spoiled everyone's enjoyment,' I said almost sobbing into his white handkerchief.

'And deprived me of the last dance,' he said, a smile on his lips.

'Trust you to make light of the situation.' My words were true and how I loved him for it.

'Far better to be happy than sad, Miss Osborne,' he said quietly.

'You are so right,' I said, my mood lightening. 'Please call me Sara,' were my next words, and for some moments he looked into my eyes before answering.

'It would be an honour, now let us have that dance.' As he spoke he took hold of my hand pulling me to my feet, his arm encircled my waist as he gathered me closely to him. We could still faintly hear the music from the hall. The moon shone down on us as we danced together around the garden in companionable silence. How could I ever have thought my outing to Lizard with Tobias could outweigh my time in the garden with Michael. What foolish creatures we can be I admonished myself.

'You did well tonight, Sara,' Michael said suddenly.

'In what way?' I laughed, 'I assume you refer to my dancing.'

'You dance beautifully,' he complimented me, 'but I was talking of the way you stood up to Tobias.'

'What did happen with Amelia, Tobias and yourself?' I asked, taking my head from his shoulder and stopping.

'I told you the first day I met you, please believe me. Amelia fell for me, but I distanced her from me for she was not my type.'

I believed the words he spoke. 'Do you think this is why my friend has disappeared?' I asked of him.

'Not necessarily. As you know she was here for some time, I really have no idea what has happened to her, but I do believe you when you say you have seen Amelia here. I'm sure you are not prone to flights of fancy, so tomorrow after church I will secure the key to the north tower and we will investigate together. How does that sound?'

In truth his words were joy to my ears for I felt I had an ally in my search for Amelia at last. 'Thank you, thank you so much,' I enthused.

'Afterwards we could walk on the cliff together.' This was an invitation I knew.

'I would be delighted to walk with you, Michael.' As I said the words I wondered if I could ask him about his meeting in the tea shop this very day with Tamsin, but tomorrow would do.

'Nothing can spoil this can it, please tell me nothing will.' The words escaped my lips and I knew that Michael was going to kiss me for he cupped my face in his hands and bent his head, but we were rudely interrupted by Violet.

'Stop it! Stop it!' she screamed, 'Look at what I have here.' Both startled we looked at the piece of paper she waved around in front of us.

‘Let us see.’ Michael spoke quietly, the moon shone down on the picture Violet had drawn. She was a good artist for I could see it was me dancing in the arms of her father. My heart sank as realisation dawned on me, she thought of me and Abraham as a couple.

7

Next morning I awoke after another restless night thinking of Violet and her picture. Michael had tried to reassure me that there was no significance in the drawing, but I had my doubts.

'Oh Miss, look at the way you've crumpled your beautiful gown and practically thrown it on the armchair, I'll be bound,' Tilly scolded me. She was correct, I had taken it off with difficulty and placed it in a heap on the chair wishing never to see it again.

'You can have it, Tilly.' At these words my maid's eyes lit up as she held the dress in her hands.

'And where would I wear such a gown, Miss?' she said with a grimace.

'Your wedding day maybe,' I offered.

'Fat chance of that, Miss, seeing I ain't got a beau,' replied Tilly quite disgruntled.

'Well keep it anyway in abeyance for whatever occasion. I would prefer not to see it again. Now I have to get myself ready for church,' I said dismissing the subject of the gown.

We were to walk to church I had been told, so I would wear my black leather ankle boots and a suitable day dress.

As I suspected the day would be warm, Tilly and I chose a royal blue cotton dress with a full skirt falling over the bustle and a bodice buttoned to the neck with a delicate cream lace collar.

'You look as lovely as you did for the party,' Tilly told me when I was ready, 'but your face has a sombre expression today.'

'That's as maybe,' I answered her, 'but today I have much on my mind.' For indeed I did. There were many questions to be answered. Where was Amelia? Would Michael and I find the answer today when we went to the north tower? Why had Violet drawn me and her father together? Why was Tamsin in the tea shop with Michael and his nurse?

As I descended the staircase I noticed the garlands had been removed and the scatter rugs placed back down on the floor.

They were all assembled, Abraham and his two sons, all looking handsome in black frock coats and white shirts. Rosalind looked as serene as ever in a pale green day dress with a bonnet to match her glossy black hair. Violet as usual wore the colour violet. She watched me as I stepped into the hall, her eyes so bright they glistened and an unfathomable expression on her face. All was silent until I spoke.

'Forgive me for last evening's display of pique on my part, you must think me extremely rude after your hospitality and the wonderful party you arranged for me, for which I thank you from the bottom of my heart. I especially apologise to you, Mr Tobias Tremaine,' I said looking across at him, 'but I cannot retract the words I spoke for I feel they are true. Please accept my apology nonetheless.'

It was the master who walked over to me taking my arm at which Violet clapped her hands together and with relish shouted the word, 'See!'

I wished with all my heart that Abraham had not made the gesture, but it was too late. I could see that Michael looked shocked at his sister's one simple word which implied so much and proved me right.

'There is nothing to forgive, Miss Osborne,' Abraham began, 'for the evening was enjoyed by one and all. Isn't that so?' He included everyone in the question, extending one arm as he did so.

'Why of course,' said Rosalind sweetly, although I detected a slight misgiving in the way she said it.

'Now let us walk to church. Take my arm, Miss Osborne and we'll speak no more of it. Is that understood?' he asked them all.

‘Yes Father,’ came the reply in unison.

We walked down the drive through the gates heading for a lane opposite which I had not noticed before. The sun was shining down and my eyes were on Michael who walked with Rosalind. I so longed to speak to him and prayed that a chance would show itself soon. As we reached the brow of the hill I could see the church, it loomed up on us quite suddenly, the small grey stone building with a Norman doorway and no tower lay almost hidden among grass and bracken. I’d never seen a church so tiny.

‘There’s no graveyard,’ I said to Abraham.

‘No, these churches were built for worshippers in remoter parts of the countryside. The mother church of St Winwalloe on the Lizard had the rite of burial, but there is a font for baptism here,’ he told me.

The older Mr Tremaine was certainly a very interesting man to talk to and I started to wonder what tragedy had befallen his beautiful wife and Violet's mother.

After the service in the dimness of the quaint little church I was thankful to step out into the sunlight.

'Take Michael's arm,' Abraham instructed me with a wink. I smiled for I could see for sure that the Master of Ravensmount acknowledged that a relationship was forming between his younger son and their guest.

Michael must have heard for he offered the crook of his arm which I took with much happiness and willingness. All the way back Violet danced around us preventing us from any lucid conversation.

As we neared the gates to the drive Abraham spoke sharply to her. 'By my side at once, young woman!' His words and the way he spoke them broached no argument. Violet did as she was bid with a torrent of tears and protestations. She was definitely unstable I mused, and wondered if she had always been like it.

'I have the key,' Michael practically whispered to me, 'we will head straight for the north tower.'

We quickened our steps, and on reaching the tower door Michael produced the key from his pocket and inserted it into the lock which turned very easily, and lifting the latch the door swung quietly back on its hinges. There was a flight of narrow winding stone steps which we ascended in single file, Michael going in front of me.

It was necessary to lift my skirts up at the front and with no hand rail my heart thudded fearing I may fall. Eventually we stood on a cold stone landing two doors facing us. Michael opened the first one on our left which was but a dark cubby hole festooned with cobwebs and caused me to think of the spider's web.

From here the sound of the ravens was very close, we could hear them crying harshly and flapping their wings.

'Nothing of note in here,' observed Michael after he had peered into the darkness. 'It's a long while since I've been up here. Now let us try the other door which I believe should open with the same key as the door below.'

As he spoke he turned the key in the lock, and sure enough the heavy oak door swung back with ease. By now my heart was pounding, Michael caught hold of my hand and with him by my side I tentatively stepped into what was a large room with three windows, one to the front and one each side, but disappointingly the room was empty. My heart sank, so this theory of mine was vanquished also.

Dust lay on the wooden floor, but here and there it had been disturbed, perhaps by a footstep I asked myself.

'I know you are disappointed, Sara,' my companion began, 'but all is not lost, for I can see that a path leads to the main window. Someone has been here quite recently, look,' he urged me. I could see what he meant and we followed the vague footsteps to the window.

'Oh my goodness,' I said, 'what an absolutely magnificent view.'

'Yes, it is rather beautiful isn't it,' Michael replied. From here, for as far as the eye could see was a view out over the sea and cliffs. 'And if you come to the window on the right,' he continued taking hold of my hand, 'you will see the chapel we were at this morning.'

As I looked I could see he was right, the building was like a dot on the landscape sheltered by the surrounding green fields. It was then we spotted Violet walking across in our direction, as we saw her she looked up and no doubt would have seen us just as I'd seen the face at the window the other day.

'Oh no,' groaned Michael, 'she's heading this way and I have left the door below unlocked. No matter, we will bluff our way out of it.'

The next thing we knew we could hear the door open and shut below and the ravens squawking on the tower once more. I suddenly felt very afraid and caught hold of Michael's arm. It seemed like only seconds before Violet appeared in the doorway. She flung back her head and laughed, her stance reminded me of something, but I had no chance to think as to what it was.

'What did you hope to find? A ghost?' she almost screamed thrusting her face close to mine.

'We just came up here to see the view, Violet,' said Michael to his sister in a soothing voice, at the same time pulling me gently back from her.

'A likely story. You are deceiving my father, just as *she* did.' The word 'she' was emphasised and Violet almost spat the words at us.

'There is no reason to deceive. Now we'll all go back down the steps slowly and quietly and lock the tower up once more,' Michael coaxed.

Violet had calmed herself somewhat, but I could see her mind was still working overtime as we descended the stone steps. Michael in front and me bringing up the rear. I kept thinking inanely that Violet would push her brother, but she didn't and we stepped safely outside once more. Michael re-locked the door and placed the key in his pocket.

'Now you run along for lunch' he instructed Violet. 'Sara and I are going to return the key.'

'I shall tell Papa,' she shouted as she ran around the corner to the front of the house her footsteps harsh on the ground causing the ravens to perform once more. I put my hands over my ears feeling quite distressed at the whole incident and was immensely disappointed that we had not discovered Amelia's prison, for prison I was sure it was. My friend would not go into hiding of her own free will, she loved life too much.

'Come,' said Michael taking my arm, 'we will head for the tranquillity of the sea and cliffs.

A narrow path led from the tower to the cliffs, as we walked along together I could hear the sea lapping on the beach below. The sun was moving around and I savoured the warmth of it on my back as I had felt quite cold in the tower. Looking up I could see small white fluffy translucent clouds hung like cotton wool against the backdrop of the blue sky.

To my delight wild flowers grew in abundance on the cliffs made up of small clusters of red common hounds' tongue and large patches of white fragrant bluebells. This was like heaven compared to the gloom of that empty room in the tower.

'Here we are.' Michael's voice drifted across to me and looking down at my feet I could see a blanket had been laid on a grassy clearing with a picnic basket standing in the shade of a small green bush.

'Why Michael, how . . . ' I started to question.

'Never mind now,' he said placing a finger on my lips to silence me. 'Sit down on the rug and let us see what delights Cook has prepared for us in the basket.'

As Michael lifted the picnic basket onto the rug he presented me with a pretty green parasol which had been lying under the bush also.

'You thought of everything,' I praised him as he sat beside me. I touched his cheek, 'But I have to tell you green does not go with blue,' I teased him looking down at my dress. We both laughed and he caught hold of the hand which touched his cheek.

'But I can be forgiven as I had no notion of what you'd wear today,' he said, kissing the palm of my hand.

The basket contained small sandwiches, cold chicken, fruit cake and cool lemonade with two glasses to drink it from. I arranged the parasol so it would shield my face from the hot rays of the sun. Michael and I sat tucking into the delicious fare and then sipped at our lemonade.

Suddenly he clinked his glass against mine. 'To us,' he said seriously.

‘To us,’ I repeated. ‘And thank you, Michael, is it all right if I ask you a personal question?’

‘I’ve never been married,’ he mocked, ‘or in love before, so go ahead, I’m all ears.’

‘It’s very difficult,’ I began toying with blades of grass while I spoke. ‘So I’ll ask you directly. What happened to your mother?’

He turned away from me at my question and threw a stray pebble over the cliff, and for some moments I was afraid the question had upset him and spoilt his opinion of me, but he turned back to look at me.

‘Why do you ask?’ he asked quietly.

‘Because Rosalind said she died of a broken heart,’ I replied honestly.

‘She did,’ he murmured, ‘she walked into the sea at Moll’s Bay intent on drowning herself because of my father’s betrayal.’ Here he stopped.

‘And did she . . . ?’ I commenced.

‘Yes, she did die. Her body turned up at Lizard Point a few days later.’

I could see it pained him to talk of it, but I had to know. 'What exactly did your father do to warrant your mother taking her own life?' As I asked the question I could more or less guess the answer.

'He fell in love with a gypsy and she had his child,' he told me. I touched his shoulder.

'And that child is . . . ?' I began.

'Violet.' Michael finished the sentence for me.

'And what of Violet's mother?' I asked him for I felt that I needed to know.

'Let us talk no more of it,' he said playfully pushing me back on the rug his laughter returning. I felt quite vulnerable lying on the cliff as Michael tickled my face and throat with a blade of grass, but I trusted him implicitly and when he bent over to kiss me I closed my eyes, a delicious feeling of fire running through my body as his lips met mine for the first time.

The kiss was gentle and I responded

with the gentleness that was given, and I realised that my thoughts when I walked down the staircase last evening of Michael being dark and gentle was uncannily true. He kissed my cheek, my neck and stroked my face and suddenly I sat up a thought coming to me.

'What's the matter, dear heart?' he enquired with concern and I laughed.

'I was wondering what my father and mother would think of this,' I told him looking him in the eye. 'Their only daughter in the middle of nowhere sharing a picnic and an intimate moment with a man who is almost a stranger.'

'Is that how you view me?' Michael asked seriously. 'A stranger? For I feel I have known you for a lifetime.'

'And I you, believe me,' I soothed. 'But living here it is so easy to forget that other people exist.'

'And you could live here for always?' he asked taking hold of my hand.

'Yes I think I could.'

'Then marry me?' he asked suddenly,

so suddenly that I was taken totally by surprise.

'Do you ask me because you are caught up on the moment?' I asked him anxiously.

'No indeed not, I would have asked you that first night in the garden,' he strove to reassure me.

'Ask me again after I have found Amelia,' I said the words without thinking and knew that this tiny sentence had spoiled our time together, and wished with all my heart that my answer had been yes, but pride would not let me alter it and the precious moment was gone.

We packed up the picnic basket and stood up, me smoothing my skirt and brushing grass from the hem.

'Sara,' he said suddenly pulling me to him, 'do love me? Or indeed think you could love me?'

'Yes I do,' I told him sincerely.

'Then we will leave this in abeyance until Amelia is found,' he told me giving me a glimmer of hope and lightening my mood again.

'Very well, so be it,' I agreed. 'What will happen with the basket and the rug?'

'Simkins will fetch it,' he told me.

'Who the devil is Simkins?' I said laughing.

'He is the cook's husband, a fine fellow and very discreet. None of this will go any further I assure you.'

We walked back to house, my arm through his like a married couple on a Sunday afternoon outing. Maybe this is how it would be in future years and I knew that not only in heart, but mind I wished this to be so.

Reaching my room, which was in truth Abraham's wife's room, I sat in the armchair looking up at her portrait once more. How sad I thought, that she had taken her life and I suddenly disliked the master as I had on our first meeting. And what of Violet, who was her mother?

The day had seemed a long one and it was only five o'clock. Tilly brought me a tray laden with tea and crumpets.

'I hear you've been walking, Miss with Mr Michael,' she said depositing the tray on the table at my side.

'Who told you this?' I asked, somewhat surprised in view of Michael's words only an hour since.

'Miss Violet told me and Emily and anyone else she came across, Miss,' Tilly informed me.

'And how pray did she know this,' I asked with some indignation, for Violet was becoming a thorn in my side.

'She followed you both, or so she says,' said Tilly with all innocence.

'Followed us? I never so much as caught sight of her,' I said rising from the chair feeling very angry now. 'Do you know which room is Violet's?'

'But your tea, Miss. I don't think it's wise to go to Miss Violet's room.' As she spoke there was a tap on the door. It was too late, for the door burst open to reveal Violet, her dark hair loose and falling around her shoulders to her waist, the beautiful violet eyes angry and flashing.

‘You’ll *never* find her,’ she screamed at me and laughed a mocking childlike laugh which burned through my whole being and I suddenly realised what she had reminded me of in the tower and again now. She was like a beautiful gypsy and as she left I asked myself what she knew of Amelia’s whereabouts.

8

Monday morning arrived and after breakfast I set off in search of Rosalind. Crossing the hall I encountered Tobias, he promptly gave me a look of disdain which upset me somewhat.

'So Miss Osborne, you favour my brother, Michael, over me,' were his words of greeting.

'It is not a question of favouring anyone,' I replied, 'not any one of us can help being attracted to one person more than another.'

'You gave me hope that day at the Lizard.' His words brought to mind our outing. Had I really caused him to think this?

'I'm sorry if I gave you any such impression, Mr Tremaine, but truly I had not meant to,' I said with truth.

'First Amelia and now you. Could you please tell me what is wrong with me that I am treated with such indifference,' he asked me.

'I feel sure there is someone right for you as indeed there is for all of us,' was the only reply I could think of.

'Ah, Miss Osborne.' The master's voice interrupted us from the direction of the drawing room for which I was thankful, as I wished to end my conversation with Tobias and did not wish to appear rude.

'Would you be kind enough to accompany me to my study, I wish to discuss something with you,' said Abraham coming across to me.

'Very well. Please excuse us, Mr Tremaine,' I said to Tobias who turned and made his way to the front door.

I was quite taken aback when Abraham indicated that I should return up the staircase.

'Don't be alarmed, Miss Osborne, my study is upstairs next to my room and has been since an accident some time ago prevented me from coming downstairs for a while,' he explained.

Duly I followed the tall upright figure of Abraham Tremaine up the staircase. My mission to seek out Rosalind forgotten and curious as to what the Master of Ravensmount would want with me.

After yesterday's revelation, my intention was to be cool towards him and to keep my distance. Violet stepped out of a room along the corridor which I took note of as the room could be hers. Seeing Abraham and I together she clapped her hands, today she looked her old self again and I had the thought that may have imagined her animosity yesterday, but I knew it had not been a dream, her spiteful words had been meant.

She followed us to a door nearly at the end of the corridor not far from the steps leading to her studio and I shuddered.

'Sara, please come up to my studio when you have finished with Papa,' she pleaded.

'I'm sorry, Violet, but I shall have no

time and I have little desire if any to step in that room again,' I told her as kindly as I could.

'Oh Papa,' the young woman cried, 'please tell Sara she has to come.'

'Violet run along. We had enough and more of your tantrums yesterday. I wish to speak to Sara alone,' he explained.

'Are you going to ask her to marry you?' she asked in a coy fashion and giggled running off before Abraham had chance to reply.

We stepped into his study.

'What a beautiful room!' I exclaimed for indeed it was, a large oak desk, the top covered in red leather stood in the alcove of the window. A large matching chair behind it with the back covered to match the top of the desk, instead of curtains white shutters framed the window and books in all different hues and sizes lined the three remaining walls.

'I'm so pleased you like it, Sara. May I call you that?' he asked politely.

'If you wish.' I replied abruptly, trying to imagine this intelligent man with a gypsy.

'You are cool towards me today, Sara,' he said quietly taking the little snuff box from his pocket. 'Has Michael been talking to you?' The question came unexpectedly and this man had already admitted admiring my honesty.

'Yes he has,' I said truthfully, all the while meeting Abraham's brown eyes.

'You are an intelligent young woman, Sara, so I intend to tell you the truth,' he commenced, taking a pinch of snuff and returning the exquisite box to his pocket. 'Please sit down and I will enlighten you.'

As he spoke he indicated a chair by his desk which I sat upon curious as to what Abraham would say.

'My wife was called Sara,' he began and I gasped at the coincidence. 'She was beautiful and as dark as you are fair. I loved her with a love much more than any man could feel for a woman. I would have given her the earth and still given her more besides. We had three wonderful children, close in age, two years between them, they were born in this house, in the bedroom you sleep in now, Sara.'

He stopped for a second or two and went to the window then turned back to me and continued. 'Twenty years ago, a gypsy encampment set up in the field opposite the gates of Ravensmount. I had no cause to be concerned about this one way or another. Four months went by and Sara came to me one day to tell me she was expecting a child. I knew it wasn't mine for we had not been man and wife in the true sense of the word for four years. I hope this subject is not too delicate for you?' he asked me.

'No,' I managed to utter, quite in awe as to what he was relating to me a stranger.

'Then I shall continue. Sara told me quite candidly that a gypsy at the encampment was the father of her child and that she was in love with him. I knew she'd never loved me, but I adored her nonetheless and she had borne me three children. This news devastated me, but I agreed to bring the child up as my own when he or she was born. Sara kept to her room, no-one but Millie Sutton, our nurse, knew of her condition. Violet was born in the room you sleep in, Sara.

'The long travail turned my Sara's mind and one night she walked into the sea at Moll's Bay and never came back. I would have stopped her if I had known for she left me a note, but by the time I had read it it was too late.'

He retrieved a small key from his pocket and reaching into a desk drawer which he opened he handed me a yellowing piece of paper. 'Read it.'

'I can't, for it is nothing to do with me,' I said.

'I wish you to read it, Sara, for I have no desire for you to think ill of me, and after all you will be my daughter-in-law one day.' He smiled encouragingly at me and so I opened the faded piece of paper and read Sara's words.

Dear Ab,

I cannot live with my betrayal of your love for me. You have been a good husband and father. My mind is in turmoil. I implore you to look after Violet, I fear for her.

Today I heard the legend of Moll's Bay from Millie, she was trying to amuse me, but it gave me an idea. That is where I shall go now to find some peace. Instead of going because I am forsaken, I shall go because I forsook you.

Forgive me.

Your Wife, Sara.

Silently I handed Abraham the letter and in return he gave me his handkerchief for tears rolled down my cheeks and I could taste the salt in my mouth. Never had I heard such a sad story, my disdain for this man turned to compassion and admiration.

'So why,' I began, 'why does Michael think you are Violet's father?'

'I loved my wife, I love my offspring.

How could I tell them their mother betrayed me? It would break their hearts. Whereas I, their father, have strong shoulders and can bear the brunt of their anger. I wish them to have good memories of their mother. Do you understand?'

'I more than understand, I admire you so much. I first thought you were harsh and manipulative, but indeed you are kind and honest,' I told him.

'Where my children are concerned I am manipulative, I wish them to marry for love and see that love returned. Amelia didn't love Tobias, she toyed with his feelings and as for Michael, she had no love for him either, she was fickle and that is not a good basis for marriage. But Tobias is fickle, maybe they deserved one another, in some ways I was pleased when your friend disappeared, but now I feel concerned as to her whereabouts,' he admitted.

'I feel sure she is somewhere here at Ravensmount for I fancy I saw her on a couple of occasions and then I saw a face at the window of the north tower, but Michael and I looked in there yesterday and the room was empty,' I told him.

'Your friend will be found, I assure you,' Abraham said and then changed the subject. 'I would like you to meet our nurse, Millie Sutton, a wonderful loyal servant.' As he spoke he pulled a cord in the corner not far from his desk. 'So this is our secret, Sara?' he asked.

'Yes, I promise, until such a time as you may wish to alter it,' I assured him.

'In some ways it is dishonest, but my loyalty to my Sara will not let me tell my children otherwise. If nothing else Sara was honest with me, she could so easily have run away with her gypsy.' His words were true.

'And what of Violet? Forgive me for saying, so but at times she seems a little strange and childlike.' As we were talking frankly to one another I had to mention it.

'You are right. Violet is childlike and

temperamental, some traits she has in her blood, handed down no doubt from her father. But we humour her, it is the only course to take. The only thing which disturbs me is her desire to see me married to whoever comes along, but I have no wish to marry anyone.'

Here he laughed reminding me of Michael. We were interrupted by the door opening to reveal Mrs Mallory.

'You rang, Sir,' she said curtly.

'Could you please locate Michael and ask him to join us and a tray of coffee and biscuits would be appreciated,' Abraham instructed.

'Our housekeeper is an unfriendly soul, Sara, but she is a staunch friend to Violet and she in turn adores the woman,' explained the master as he saw me watch Mrs Mallory's departure with some interest.

'To tell me about your wife, is that the reason you brought me here this morning, Mr Tremaine?' I asked him while smoothing the skirts of my dove grey morning dress.

'Indeed not, Sara. I wish to talk to you about turning the small dining room into a library, for we sadly do not have one at Ravensmount. Me being the only person interested in reading and the arts, what do you think?' he asked of me.

'I think it a splendid idea, but without being rude, why ask me a mere guest?'

The words were true, but I anticipated his reply. 'Because Sara, I know in my heart you will be residing here as Michael's wife and after our discussion on the dance floor about Johann Strauss I knew instinctively that you enjoyed learning and would no doubt love books,' he explained.

'Indeed this is true, but how can you be so sure about Michael and I?' I pressed him.

'Young woman, I see the love in your eyes at the mention of his name and my son wears his heart on his sleeve and no doubt adores you.' At his words

I thought to tell him of Michael's proposal of marriage, but decided not to yet. 'Can two people fall in love in such a short space of time? For in some ways all this feels unreal and yet I feel I've lived at Ravensmount for always,' I said passionately.

'You belong here, child and time is immaterial. What matter if it be a year, a month or a day to fall in love.'

The door burst open and Michael stood there dark and gentle and I realised that Abraham was right, he is a wise man I thought. A tray of coffee was brought soon after and placed on the desk. I felt a warm glow all around me as I sat there with my beloved and his father.

Abraham told Michael he wished him to take me to meet Millie Sutton that afternoon and Michael agreed. We arranged to meet at the front of the house at two o'clock. The thought of visiting Moll's Bay brought to mind many things. The first, Sara, then my outing with Tobias, and not least

Tamsin. Where did she fit into this mosaic?

In the meantime I needed to seek out Rosalind and ask to borrow the key of Amelia's room for I felt it unfair to involve Emily again and to sneak around, far better to be in the open about it.

Walking back along the corridor, Abraham's story of Sara went round and round in my brain, how I admired him for his loyalty to his wife. Curious that he never mentioned more of Violet's true father but maybe he didn't wish to know.

I found Rosalind in the small dining room laying the table for lunch. Did she know of her father's plans to turn this room into a library? I guessed not and certainly wouldn't be the one to tell her.

'Shall I lay a place for you, Sara? You are most welcome to join us,' Rosalind invited, her manner friendly once more.

'That is most kind of you, I would be pleased to join you, thank you,' I agreed then continued, 'Rosalind, I must apologise for what must have seemed most rude and ungrateful behaviour on Saturday evening. I had no right to berate Tobias on the dance floor and leave the hall in such a manner.'

'You are forgiven, Sara,' she told me gently while she laid cutlery by the six placemats. 'Tobias can be a trial at times. It is my belief he is desperate to marry and he is in a fit of pique over your friend, Amelia.'

'Is this so?' I asked, having never thought that Tobias might actually be still upset over my friend.

'He talks to me often, we are quite close, our ages only being two years apart. I don't believe that Tobias is yet capable of passionate love, but I do believe he has strong feelings for Amelia and truly wished to marry her,' Rosalind told me and I recalled Abraham's words, 'Maybe Tobias and your friend deserve one another.' Could this be the case and would Tobias be happier if Amelia was to be located? Which brought me to the reason I had sought Rosalind out.

'Rosalind, I hope you won't mind me asking you this, but could I please borrow the key to Amelia's room for I wish to have a look around to see if I can obtain any clue to her whereabouts.' I explained wondering all the while what her answer would be.

'But of course Sara, you have every right to see your friend's room. I have finished here so come with me and we will fetch the key from the kitchen quarters.' She agreed, far more amicably than I anticipated for which I was thankful.

I followed Rosalind across the hall and into a part of the house I had not seen before. As we entered what was obviously the kitchen, a huge room with white walls and an immense black range on which steaming saucepans and a huge black kettle sat. The cook and her two helpers were obviously preparing lunch.

This must be Simkins' wife I assumed looking at the slender woman in a blue striped dress with a white apron over the top and a mob cap to match on her dark hair. I smiled at Mrs Simkins and she nodded her head in return. As Rosalind walked into a large cupboard cook took the chance to speak.

'Enjoy your picnic, Miss?' she asked in a strong Cornish brogue.

'I did indeed, thank you,' I replied smiling back at her.

'That's all right then, Mr Michael be my favourite of the young people and I hope all works out for you both. Enough said.' And Mrs Simkins put a finger to her pursed lips. I followed her gaze and saw Rosalind leaving the walk-in larder closing the door behind her.

'Everything all right, Miss Rosalind?' Cook asked sprinkling sugar on the top of a pie which sat on a huge table amid flour and blotches of fruit.

'No, Mrs Simkins. I can't find the key to the gold bedroom. Have you seen anyone here this morning?' Miss Tremaine asked the cook.

'That'll probably be Miss Violet, young scallywag that she is. She was here not an hour since, told me she fancied one of my pickled eggs,' offered the red faced woman.

'Very well then, but please keep an eye on her in future, I don't want her taking keys on a whim. In fact I'd prefer she didn't come in here at all,' admonished Rosalind and I felt quite sorry for the nice Mrs Simkins.

Rosalind and I made our way back across the hall and up the staircase. 'Honestly, I don't know what's happened to Violet of late, she's very disobedient,' grumbled the beautiful Miss Tremaine. 'In fact she's not been the same since your friend, Amelia, arrived here last September. I can't begin to imagine what is wrong with her.'

We reached the door of Amelia's room and Rosalind opened it, the key still in the lock. It was so dark neither of us could see anything let alone anyone. Without preamble Rosalind walked carefully to the window and swished back the heavy drapes, light flooded into the room and we could see a startled Violet by the wardrobe dressed in one of Amelia's cream silk gowns.

It really suited Violet with her dark hair as it had suited my friend, but Rosalind's thoughts weren't the same as mine. 'Take that off this minute,' she ordered her sister.

'Won't, won't,' Violet repeated trying to dodge her elder sister and escape around the huge four-poster bed which I could see was draped with curtains to match the gold ones at the window.

Rosalind wasn't quick enough, just as she went to catch hold of the girl's arm, Violet scrambled across the bed and made for the door. She was out and running along the corridor before Rosalind and I got to the door. We could see her, the cream silk trail of the dress and her black wavy hair trailing behind her in the distance.

'I'm sorry about that,' Rosalind said sighing with resignation, at the same time gathering Violet's dress up and laying it across her arm.

'No matter,' I assured her, going over and placing my arm around her shoulder. 'We can probably put it down to high spirits.'

But as I spoke the words I silently wondered how many times Violet had been in this room and if it was her who had taken the royal blue cloak.

'I don't know what is to become of me, Sara,' sighed Rosalind. 'What sort of life is this for me? I shall never meet anyone stuck here day in and day out.' It seemed I was to be a confidante for Rosalind as well as her father today.

'When I go back home to Bath, which I must do soon, come with me,' I said trying to cheer her. 'We can go on outings and to balls together. It will be a change for you and take you out of yourself. Who knows who you may meet. Please say you'll come with me,' I urged her.

'Yes, I will.' The smile on Rosalind's face as she spoke lit up her whole being and I felt that at last some goal had been achieved by me coming here. I now had to locate Amelia.

Rosalind left me, her step quicker and her pink skirts swishing down the corridor as I watched her go. Would I feel like her also if I married and lived here? But I would have Michael I thought and would entertain and make friends which would benefit all who lived in this house, for it was gaiety which was lacking here.

Walking back in the room and over to the window I could see that Amelia had a view over the beautiful garden, and thoughts of my love for Michael were brought to mind. I fervently prayed that he would ask me to marry him when all this mystery of Amelia was resolved, which brought to mind my reason for being here.

I turned from the window, my eyes coming to rest on my friend's music box. Swiftly I walked over to it and picked it up. Although small it was quite heavy probably because the casement was silver. I ran my hand across the enamelled lid which was beautifully decorated with rich colours in the theme of a landscape with flowers surrounding it.

Lifting the lid I could see the red velvet interior held the small key, I picked it up and located the hole for it in the bottom. I turned the key and set it back on the dressing table opening the lid.

The haunting sound of Greensleeves filled the room and I danced around singing to myself along with the notes. 'Alas my love you did me wrong' and a tear filled my eye as I thought of Abraham and his Sara. The music slowed and came to a halt and the room suddenly seemed very quiet and still.

I picked the box up again to wind it with the key and I stopped in my tracks for I could see a name written in tiny scroll letters. I took the box to the light of the window to ascertain what I'd read and to my astonishment I was right.

The word was *Tamsin*!

9

Clutching the small music box in my hand I left the gold room, turned the key and locked the door behind me taking the key with me so I could return it to Rosalind. As I stepped into my room I could see Tilly was there sorting out my clothes.

'You startled me, Miss,' she said turning around as I shut the door. 'What you got there, Miss Sara?' she asked spotting the music box in my hand.

'It's Amelia's,' I told her placing the little box on the top of the dressing table then searching through the drawer for a suitable reticule to put it in.

'You surely ain't stolen it!' said Tilly wide-eyed.

'No, I haven't, young lady, I've borrowed it for I wish to show it to someone,' I told her sharply. 'And tell no-one, do you understand me? No-one, not even Emily.'

'I promise,' said Tilly hovering by the dressing table trying to look more closely at the object in question.

'Lift the lid,' I instructed her. Doing as she was bid a few faint bars of Greensleeves rang out. Tilly clapped her hand to her mouth.

'Well Miss, I ain't never seen anything like it,' she said with awe. 'Quite beautiful it is.'

'This will I think suffice,' I said more to myself than to my maid. I'd found a black reticule which I was sure the box would fit in. Picking it up I placed it inside the bag, it fitted snugly and I breathed a sigh of relief.

My intention was to take it to Millie Sutton this afternoon for I had a very strong feeling that the nurse had the answers to my questions. She very obviously knew who Tamsin was having shared tea with her and did Michael know also?

The only mystery Millie Sutton

wouldn't be able to solve was the whereabouts of Amelia, and thinking of Amelia I wondered for the second time in half-an-hour what link she could possible have with Tamsin. That is if the name of the music box and our travelling companion were one and the same.

I could hardly wait to see Miss Sutton, but knew I needed to remain calm and not give anything away to Michael or indeed any of the Tremaine family. To change clothes during the day was not normally an appropriate course to take, but I wished to look my best so I decided to don another outfit.

'I think the pale green with the white collar and cuffs which you wore the other day, Miss. It matches your eyes perfectly,' Tilly advised me and I tended to agree with her.

Taking my seat once more at the table in the small dining room which I knew was soon to be a library, I kept thinking of Sara Tremaine and how she would have sat here all those years ago, but Tobias, Rosalind and Michael would only have been children then. Abraham smiled at me and I thought of the tale he had recounted to me only this morning.

As I looked at his offspring sat quietly eating their lunch, I thought that one day they would need to know the truth. Little did I know at that moment in time that the truth would come out far sooner than I had expected. It was as if I, Sara, by coming to Ravensmount had set off a chain of events which would spiral out of control.

'You aren't eating much, Sarah,' observed Michael.

'In truth I don't feel very hungry,' I answered.

As we left the dining room, Abraham caught hold of my arm. 'I trust you will enjoy your meeting with Millie, I have every faith that she will like you,' he said kindly.

'Where's Sara going?' chanted Violet, obviously having overheard snippets of the master's words.

'It's none of your business, young woman,' Abraham told her firmly. 'Come with me and we shall take a walk in the garden.' As Abraham caught hold of Violet's arm and steered her towards the front door, he turned back giving me an encouraging smile. And as I watched the pair of them depart out of the front door it was hard to imagine they were not truly father and daughter for Abraham treated Violet as one of his own.

Swiftly I went up the staircase to my room. Tilly was still here guarding the reticule containing the music box. I was surprised she had remained as on occasions she could be disobedient.

'Where ever you are going with that trinket box, Miss, I hope all goes well,' said Tilly unexpectedly as she handed me my white lace bonnet. I went over to the mirror of the dressing table to tidy my curls. Tying the ribbons under my chin I caught sight of my namesake still looking wistfully down from the portrait. Your secret is out in the open,

Sara Tremaine, but what am I to find out now? I said to myself.

As I stepped out the large front door and down the steps, my reticule clasped firmly in my hand, Michael was true to his word for he was standing waiting by the pony trap, the brown pony waiting patiently to move onward.

'You look beautiful and too good to be true,' murmured Michael as he helped me into my seat.

'Thank you kind, Sir,' I replied sweetly sending him one of my most disarming smiles to which he responded with a similar smile. We were bowling along the lane before I spoke again.

'What do you know of Tamsin?' I asked him. A question which came quite out of the blue and escaped my lips before I had a chance to think about it.

'Why do you ask?' he said looking at me with a stunned expression on his face and pulling the pony to a halt.

'Because,' I began, 'she was our travelling companion in the coach from

Exeter and I saw her in the tea shop at Moll's Bay with you and Millie Sutton the other afternoon.'

'My dear Sara, it was quite innocent I assure you. My nurse sent a message that morning for me to join her for tea. That is why I reluctantly cancelled our afternoon out, for Millie means a great deal to me,' he explained obviously quite disgruntled that I should infer otherwise.

'No matter,' I reassured him patting his arm. 'It is plainly a mere coincidence.' But as we set off again for Moll's Bay I looked at Michael seriously wondering if he was telling me the truth.

Arriving opposite the nurse's cottage, Michael helped me down from pony trap, his hands lingering on my waist.

'You surely don't mistrust me?' he asked with a wounded expression on his face.

'Indeed not,' I said, touching his lips with my gloved hand. 'I love you remember.' At these words he smiled and I took his arm as we walked across to the cottage.

The door opened before we reached it to reveal Miss Sutton standing in the doorway ready to greet us. She reached up to Michael her hands on his face and he bent forward to allow his nurse to kiss him on the brow.

'And this Millie, is Sara Osborne,' Michael introduced me quite proudly I thought, drawing me forward to be kissed on the cheek by this sprightly old lady who had bright, inquisitive, piercing blue eyes. She was very upright for her age and I guessed her to be in her early seventies.

'Come in, my children,' she said kindly, almost white hair shining like a halo in the sunlight. We stepped into an abode that was as bright and clean as a new pin. A staircase ran upwards with a room on each side of the small hallway, the walls everywhere were white giving a feeling of light and spaciousness, although the room on the left which we stepped into was in reality quite small.

'Please, be seated, Sara. 'May I call you that?' she asked, her voice strong, totally belying her age.

'Of course, Miss Sutton,' I agreed, sitting on the low blue floral armchair she had indicated.

'Well Sara,' she said, sitting on a similar chair opposite me, 'tell me all about yourself for all I know from Michael is that you are a beautiful young woman who he very much admires.'

'There is not much to tell,' I replied, blushing at Millie Sutton's words and looking at Michael who gave me an encouraging smile. 'I've lived in Bath all my life with my father and mother. I'm an only child and chanced to come to Cornwall because of my friend, Amelia.'

At the mention of her name Millie Sutton's face changed from a smiling one to one of concern.

'Had you known Amelia long?' she asked expectation on her face awaiting my answer.

'Just three years, but in that short space of time we became good friends. I believe she is younger than me although she appears older. In truth I don't believe she even knew for sure when her birthday was having been brought up by an uncle and aunt,' I told the nurse.

'And what of Amelia's parents?' I thought this a strange question from Michael.

'I don't quite know what you are trying to gain from these questions. In truth I know no more about my friend than I have just told you for she said little about herself, but we got on so well that was all that mattered to me,' I told the two of them feeling somewhat perplexed.

'Do not worry we will question you no further,' Michael's nurse assured me.

'But I would like to ask you a question,' I said as bravely as I could.

'You do just that, child,' said Millie, reaching across and patting my hand.

'Who is Tamsin and where does she fit in to the picture of Amelia and the Tremaine family at Ravensmount?' I asked without preamble.

At these words Michael and his nurse looked at one another. 'You must tell her,' said Michael, 'for I know that Tamsin is here, beyond that I am as much in the dark as you dear heart.'

'We'll do better than tell her, my child. Fetch Tamsin down, she is upstairs.'

At the nurse's words my heart started pounding. So I was to come face to face with my travelling companion once more. The woman who had told me not to spend a night at Ravensmount. While Michael went to fetch the elusive Tamsin, Millie Sutton busied herself in what I assumed to be her scullery.

I could hear water being tipped into a receptacle and china clinking. 'I'm making some tea,' she said returning to her front room, 'for I think we are all going to need it.'

Hearing a rustle of skirts in the doorway which led to the hall I turned my head to see Tamsin standing there. She looked no tidier or cleaner than when I had last seen her, in fact she wore the same royal blue serge dress she had worn that day we travelled together. I did concede that her hair looked cleaner and tidier, but it was very obviously dyed and was almost yellow in colour. I was sure the immaculate Millie did not entertain her by choice.

'So we meet again, Miss Osborne,' Tamsin spoke in the same cultured voice which so belied the way she dressed. I really did dislike the woman although in fairness to her I hardly knew her.

She walked into the room and pulled a chair from under the table to sit upon as she continued, 'So you didn't heed my words and stay clear of Ravensmount,' she said.

'No, indeed not,' I replied trying hard to keep the tremor from my voice. In truth I am glad I stayed and I shall not leave until I have found my friend, Amelia. Tell me, what do you know of her?'

'Very little,' replied Tamsin somewhat cagily.

'I have reason to believe you don't speak the truth,' I challenged her reaching for my black reticule which I had placed on the floor by my chair.

'And what makes you say that?' Tamsin asked nervously.

'Because of this,' I replied, taking the music box from my reticule and walking over to place it in front of Tamsin on the table. 'Is this yours?'

As I asked the question Tamsin gazed at the exquisite box as if mesmerised by it, then with one hand she touched the bright coloured enamel tracing a finger over each beautiful colour.

'I had thought I would never see this again,' she said, taking her eyes at last from the box and looking at me. A pang of sympathy touched my heart for her. 'Where did you get it?' she said.

'It was in Amelia's room at Ravensmount,' I said quietly feeling all the while that nothing was real and that I was in a dream.

'So we have the proof,' said Tamsin quietly looking at Millie Sutton who had been watching the scene with interest.

'Proof of what?' Michael interposed and in that moment I knew that he had no idea, no more than I what Tamsin was talking about.

'In which case,' said Millie Sutton standing up and taking control of the situation, 'we need to speak to the Master of Ravensmount.'

'But why?' Michael questioned. 'What has this if anything got to do with my father?'

'You will see, child,' said his nurse putting her arm around him and for a second I thought how handsome he looked in his innocence and so vulnerable. 'I want you to go back to Ravensmount and fetch your father. Far better that he come here I think.'

'No!' said Michael. 'I suggest we all go back to my home and sort this out, whatever it may be.' His voice was authoritative and I so admired him for it.

'If that's what you wish, Master Michael, I have the governess's cart which Tamsin and I can travel in. Just let me take the kettle off the range,' said Millie seeming unperturbed by this chain of events, but I suspect that underneath she was a cauldron of emotions knowing that the time was near for all secrets to be revealed.

We all set off, Tamsin insisting that she carry her music box, reluctantly agreeing I lent her my black reticule to put it in.

As we made our way back to Ravensmount, I said to Michael, 'I feel sorry that your father has no warning of our coming.'

'But surely he has nothing to hide,' was his reply. Unfortunately I knew that there was something Abraham had to hide and I felt that the time of reckoning was nigh, wondering at the same time what Tamsin had to reveal. I had no doubt the music box was hers, so what connection did she have to my friend, Amelia?

These things were still burning through my mind when Michael pulled the pony up by the steps with a flourish. My darling man was obviously keen to bring whatever it was to a conclusion. As he helped me down to the ground the governess's cart pulled sharply up behind us.

The ravens flapped and cursed overhead and as we made our way to the great door I saw Mrs Mallory drop the curtain back in place at the window.

The housekeeper greeted us, if something cautiously at the door. 'What a pandemonium!' she exclaimed. 'The ravens are going berserk.'

She was right about that for we could still hear them screeching outside. The sun streamed into the hall and everything seemed normal and yet it was anything but. Mrs Mallory looked Tamsin up and down as if she had a bad smell under her nose just as Violet turned up to add further chaos to the proceedings.

'And who are you?' she asked sweetly going over to Tamsin and catching hold of her hand. *Oh, no!* I thought.

'Are you Violet?' Tamsin asked softly.

'Yes I am, would you like to see my studio?' asked Violet. 'And who are you? I've never seen you before.'

'I'm your grandmother,' said Tamsin. At her words everything went deathly quiet, we could have heard a pin drop on the floor, even the ravens stopped their incessant squawking.

My heart thudded, no-one spoke until a voice from the direction of the drawing room caused us to turn and look in that direction.

'Are you indeed? I think you'd all better come in here,' said Abraham and my heart went out to him. We all walked in silence towards him, Violet skipping along by Tamsin. 'Not you, Violet. Go up to your room,' he said.

'But Papa, this is my grandmother and I've never had a grandmother before,' she wailed.

'Do as you are told for now at least,' the master said firmly. 'And Mrs Mallory, please fetch Mr Tobias and Miss Rosalind.'

Mrs Mallory did as she was bid, the poor woman looked as if she needed some smelling salts. They all trooped into the drawing room. Millie Sutton, her back straight, Tamsin, her eyes everywhere. Michael and I lingered behind speaking to Abraham in the doorway.

'Would you like me to go to my room?' I offered.

'No Sara, I want you here. You will be my support, you and Millie Sutton for I fear the time has come.'

He squeezed my hand, me squeezing his back.

We all sat in the lovely drawing room, Tamsin still holding the black reticule and me recalling the day that I had first arrived at Ravensmount. The door burst open to reveal Tobias with Rosalind closely behind him.

'Whatever is afoot?' she asked, surveying us all, her eyes resting on Tamsin. 'And who is this?' she asked, seemingly most bewildered by the whole thing, with good cause I mused.

‘Please sit down both of you,’ instructed Abraham in a kindly voice. ‘There is much to be said and I fear what I have to say will come as a shock to you.

Tobias and Rosalind both sat down, Rosalind by Millie Sutton on the settle and Tobias by Michael opposite them. Tamsin sat on a high chair by a small table, me next to her and Abraham caught in a ray of sunlight with his back to the fireplace. All eyes were on him as he started to speak.

‘My children, I have something to tell you. I have been dishonest in the nicest possible way,’ he began. ‘All these years you have been led to believe that I am Violet’s father, but in truth Violet is your mother’s daughter, but I am not her father.’ Here he stopped. It seemed so simple by the few words he spoke.

‘So who then is Violet’s father?’ spoke Tobias, asking the question which hovered on all three of the siblings’ lips.

‘My son, Eli, is,’ said Tamsin standing up.

'And you are?' began Rosalind.

'A gypsy, Miss,' Tamsin replied. For some while there was a hushed silence.

'So our mother had a child by a gypsy and you knew, Father?' said Michael finding his voice. 'And all these years we thought that Violet's mother was a gypsy and that you were to blame. Oh my God!' said Michael, holding his head in his hands.

'I could not besmirch your mother's memory. I wanted you to think well of her,' pleaded Abraham.

'And ill of you?' Rosalind interrupted.

'Can you forgive me?' asked Abraham, his face full of pain and anguish and I wanted to hug him.

'It would seem, Father, there is nothing to forgive,' Tobias said quietly getting up and putting his arm around his father, Michael and Rosalind doing likewise. The scene was quite touching and I was so relieved the three of them had taken it so well.

'But that is not the whole story. I would like you to sit down, Mr Tremaine, for I have something to tell you which I should have told you years ago,' Millie Sutton spoke for the first time, vacating her seat so Abraham could sit down. 'I was the one who delivered Violet into this world twenty years ago, but there were two babies born that night, both girls. Forgive me, Mr Tremaine, but I knew you would accept one, but hardly two, so I gave the one child away to a cousin of mine in Somerset with Tamsin's consent.'

Here the nurse broke down, she'd kept this secret for twenty years and could not contain her emotions any longer. I walked across and put a gentle arm around her shoulder.

'So who is this child?' asked Abraham as if in a trance.

'It would seem Sir, it is Amelia,' said Millie Sutton amongst her tears. We all looked at her and the mosaic was very nearly complete. This was why Amelia had Tamsin's music box and if the nurse's words were true then Amelia was Violet's twin sister.

10

Each and every one of us was silent for a few minutes as I gently led Millie Sutton to the chair I had vacated. My thoughts were that it was all such a strange coincidence that Amelia should come here of all places where her life had begun.

This revelation had a sinister implication for Tobias above all others. I looked at them all, the Master sat with his head in his hands, Tobias and Michael both leant back against the settle. Rosalind got up and walked over to the window then walked back to Millie Sutton and I.

'Would you like a brandy?' Rosalind asked her nurse. 'This is none of your fault you know,' she said kindly.

'How I wish I had told the master the truth at the time,' said Millie, quite calm now.

‘I think,’ said the master suddenly, ‘we all need a cup of tea. Please pull the cord to summon Mrs Mallory, Rosalind.’

At her father’s words, Rosalind pulled a cord by the fireplace.

‘So I fell in love with my half-sister,’ began Tobias, ‘but then I never truly loved her.’

‘We all have our different thoughts, Tobias,’ said his father, ‘but whatever they are, all that matters now is that we locate Amelia’s whereabouts. Let us put the matter of her birth to rest and I assure you, Millie that we lay no blame at your door, you only did what you thought was best and at the time it was without doubt.’

‘Thank you so much, Mr Tremaine,’ Millie spoke, a tremor in her voice. ‘I knew all would be revealed one day, but had hoped it would only be to you, Sir.’

‘All I hope,’ Tamsin spoke for the first time, ‘is that you can find my granddaughter.’

‘I can assure you all will be done to

locate Amelia.' At these words the master's eyes rested on me just as Mrs Mallory opened the door.

'You rang,' she said and I could tell she had been crying. Her usual bold manner had left her and I wondered momentarily if the housekeeper was afraid of something.

'Would you please fetch us some tea?' Abraham asked her, 'and also send Violet to me.' At his words Mrs Mallory retreated silently and Abraham continued, 'I have a strong feeling that Violet knows more about this than she has said. Some instinct I have tells me so and I intend to get to the bottom of this today,' he said firmly.

The tea arrived, brought in by Emily and Mrs Mallory on two large trays which they deposited on the low table between the settles. The silver teapot gleamed and I stepped across to help Rosalind pour the tea into delicate white bone china cups.

As we handed the cups and saucers around Violet burst through the door and we all turned to look at her. She stood there, a defiant look on her beautiful face, her violet coloured dress adorning her perfect figure with her black hair flowing luxuriously in waves down her back.

'You sent for me?' she said in her shrill voice looking all the while at the master who sipped at his tea.

'Do you know where Amelia is?' he asked in a slow precise voice, coming straight to the issue in question.

'Of course I do,' answered Violet in her childlike voice. The atmosphere in the room was full of expectation, but alas for me it wasn't going to be as easy as it seemed.

'And why,' continued Abraham, 'have you not said so before, young woman?'

'Because, no-one has ever asked me,' replied Violet innocently her violet eyes flashing with defiance.

'Will you take me to her now?' Mr Tremaine asked softly.

'No,' came Violet's reply. 'I will take Sara.'

'Not without me,' said Michael, standing up and coming across to my side.

'Very well brother, you may come also,' his half-sister agreed and without any further warning she turned from the room and went out of the door.

Michael and I looked at each other briefly before following her.

As we stepped into the hall we could see Violet was half way up the staircase and I asked myself silently where she was heading. Picking up my skirts, Michael beside me, we walked swiftly up the staircase following the retreating figure of Violet along the corridor in the direction of the south tower.

'Her studio I'll be bound,' murmured Michael.

'But she took me there and the room is crammed full of her bizarre drawings,' I replied.

'There is another room behind it,' Michael informed me, 'why the devil didn't I think of it before?'

At his words we ran after Violet to the

end of the corridor and up the stone steps to the door of the south tower where Violet was already fumbling for the key in her pocket. Was I really going to see my friend, Amelia, at last? I had my doubts as Violet was not always to be believed.

As we stepped from the studio I tried to avert my eyes from the drawings of the ravens, lest I feel nauseous as on that first occasion.

'Look at this!' said Violet gaily, obviously not realising the seriousness of the situation at all. She had picked up a small painting, holding it up for us to see. I could see straight away it was Amelia standing next to Abraham her arm linked through his. What twisted thoughts had Violet got of her father with young women? And in some ways I felt sympathy for her as she evidently wished to see Abraham married again.

'That's very nice, Violet,' soothed Michael, 'now please show us where Amelia is, there's a good girl.'

At Michael's words his sister placed the picture back on the floor and went to the right hand corner of the room where I could now see there was a small door. Inserting the key in the lock and turning it light flooded into the dark studio. Michael and I followed Violet into the room beyond, thankfully the room was light and airy and lying on a truckle bed beneath the window was Amelia.

'Thank the Lord,' uttered Michael quietly.

'Amelia,' I said quietly going over to the bed not wishing to alarm her. My friend's face was pale and she was very sleepy, but other than that she looked better than I had expected to find her. I glanced out of the window above the bed and could see the gates of Ravensmount. To think I'd looked up at this window on my arrival and Amelia had been here all the time.

'Oh Sara, you've come at last!' were Amelia's first words to me and I gathered her in my arms.

'Why is she so sleepy?' I asked Violet sharply.

'Because Mrs Mallory puts one drop of laudanum in her tea each morning,' Violet told me, quite unperturbed by the implication. 'And has done so for quite a few weeks.'

'And why does she do this?' I questioned, smoothing Amelia's hair back from her cool forehead.

'I asked her to,' came the reply, 'I thought if she had it the potion would cause her to love Papa, but she fell for Michael instead,' her voice rose as she spoke and I sensed that she was going to become hysterical once more so I changed the subject.

'Was it Amelia I saw walking in the grounds?' I asked her.

'Oh no, that was me,' said Violet laughing. She obviously thought of this as a game. 'I borrowed Amelia's cloak and Mrs Mallory walked with me hoping to frighten you, Sara.'

I could be forgiven for my mistake, seeing Amelia and Violet together they did look remarkably alike.

'We must get Amelia to her room, Sara,' Michael's voice cut across my thoughts. 'She needs a rest in familiar surroundings and some refreshment.'

'Oh, she's been fed,' said Violet skipping over to the door, 'Mrs Mallory comes morning and night.'

I could see there was indeed an empty tray on the small table by the bed. Michael and I helped Amelia to her feet, she was a little unsteady, more from the effects of the laudanum I suspected than anything else working out that my friend had been held captive for three weeks. She was in remarkable condition and I conceded that she had been well looked after which was in Violet and Mrs Mallory's favour. Before leaving Violet in her studio I asked her one more question.

'Was it your face I saw that day at the window of the north tower?'

'Oh yes, I watched you from there quite often,' Violet informed me, more intent on her paintings than Amelia,

Michael or I and as we helped Amelia down the steps and to her room.

Rosalind and I tended Amelia for two weeks in the gold room. Each day she grew stronger and eventually she was back to her normal self. When she was feeling better Tamsin was brought to her room.

Abraham thought it was best that Amelia's grandmother told her the circumstances of her birth, and when Tamsin had left I noticed that the music box once again stood on the top of Amelia's dressing table.

That day I went for a well deserved walk in the garden for some fresh air. I made my way past the wine cellar door and thought of the day I had first met the Master of Ravensmount. He now was very dear to me, in fact Ravensmount itself was very dear to my heart too.

Abraham had decided, with the family's consent, not to tell Violet the circumstances of her birth for she no doubt would not understand it and it may tip her already precarious state of mind over the edge.

One day when Violet was in a quiet frame of mind I asked her why she'd held my friend captive. She told me she'd done it because Amelia had betrayed her Papa with Michael just as I had done. There was no reasoning with her so I accepted this with reservation. As for Mrs Mallory she was reprimanded severely over Amelia's captivity and the giving of the laudanum, but she was not dismissed for Violet's sake. The housekeeper very obviously had a strong sense of loyalty to the young woman.

As I stepped into the garden my heart skipped a beat as I saw Michael sitting on the stone seat amongst a riot of colour, the sun shining down on his black hair. He rose to his feet when he saw me and came towards me taking both my hands in his.

'Amelia is now safe,' he whispered, 'so I ask you again, will you marry me? If only because I love you.'

'Yes,' I whispered back, 'Oh yes.' And my beloved bent his face to mine and gently touched my lips with his own.

Four weeks after finding Amelia, my friend, Rosalind, Michael and myself stood at the gates of Ravensmount, our luggage around our feet waiting for the coach to convey us to Bath.

Michael was to ask my parents for my hand in marriage, Rosalind was to have a break from her routine as I promised her and Amelia needed some time to come to terms with the story of her birth. Tilly would remain here until my return for she didn't wish to leave.

'Please return soon for I shall miss you,' said Abraham as he kissed my cheek in farewell. Waiting at the gates I turned to look at Ravensmount, the house looked still and quiet in the morning light.

How I loved it here and how I loved the man at my side who was soon to be my husband.

Tilly waved and I waved in return

thinking I had well and truly been caught in a spider's web and had no desire to ever escape it.

THE END

Other titles in the
Linford Romance Library:

DARK MOON

Catriona McCuaig

When her aunt dies, Jemima is offered a home with her stern uncle, but vows to make her own way in the world by working at a coaching inn. She falls for the handsome and fascinating Giles Morton, but he has a menacing secret that could endanger them both. When Jemima is forced to choose between her own safety and saving the man she loves, she doesn't hesitate for a moment — but will they both come out of it alive?

HOME IS WHERE THE HEART IS

Chrissie Loveday

Jayne and Dan Pearson have moved to their dream house . . . a huge dilapidated heap on top of a Cornish cliff. The stresses of city life are behind them, their children consider their new home 'the coolest house ever', and the family's future looks rosy. But when a serious accident forces them to re-think their dream, they embark upon a completely different way of life — though its pleasures and disasters bring a whole new meaning to the word *stress* . . .